はじめに

本書は、近年のＡＩ（人工知能）の発展について、ＡＩと法規制という観点から、その全体像を見通すことを試みるものです。

意外に思われるかもしれませんが、これまで日本を含め世界のどこにも、ＡＩを包括的に規制する法律はありませんでした。ＡＩは法の世界では、単なる道具程度にしか扱われてこなかったのです。しかし最近話題のChatGPTや画像生成ＡＩなどの「生成ＡＩ」の爆発的な普及が、その状況を一変させました。

今まさに世界では、人類史上初となるＡＩ法の立法が進められ、ＥＵ（欧州連合）では２０２３年末にも成立する見込みです。さらに米国でも大統領府においてＡＩ法案が準備され、中国でも立法計画に「人工知能法」が明記されました。

そうした中で我が国日本は、ＡＩイノベーションを導く法制度の形成に対し、諸外国に対して後れをとりつつあります。

ＡＩがこれまでの法制度に強烈な一撃を加えた一例は、生成ＡＩと著作権をめぐる問題です。生成ＡＩは大量の著作物を学習に利用するとともに、その学習の結果として、人間によるものとほとんど遜色のないコンテンツを生成することができます。そのため、学習段階と利用段階の両方で、著作権の取り扱いについての困難な問題を生じさせています。米国ではこれが裁判で争われ、これを受けて日本でも波紋が広がっています。

ChatGPTや画像生成ＡＩサービスの普及によってＡＩが誰でも気軽に使えるようになったこの状況は、ビジネスの効率化につながる一方、それによる情報漏洩、ＡＩが生成した誤情報の流用、そしてセキュリティの脆弱化など、ビジネス上の無視できないリスクも広く生じさせています。ＡＩに起因するリスクの分布は、最終的には、個人のプライバシーをはじめ、私たちの日常生活に至るまで、その裾野が広がっているのです。

本書では、生成ＡＩの普及当初からＡＩに関する法務に従事してきた行政書士の観点から、こうした問題のひとつひとつを取り扱います。

筆者は、画像生成ＡＩ専用の投稿掲示板「chichi-pui（ちちぷい）」の利用規約をはじめ、ＡＩを活用した事業活動に対するリーガルアドバイザリーを行い、生成ＡＩの公開以降、一人の実務家として、その激流をともにしてきました。

その渦中では、法規の適用や解釈という専門的な問題だけではなく、ＡＩが新奇でセンセーショナルな存在であることに起因する困難さもありました。

いまだＡＩ時代を迎える準備のできていない日本法下においてＡＩの利活用を検討していく上では、そのモデルケースとして諸外国のＡＩ規制の動向にも気を配る必要がありました。

そこで驚かされるのは、ＡＩの進歩の急激さであり、その普及の爆発性であり、それに対する各国政府の立法政策の迅速性です。

日本がその急流に後れをとりつつあるいま、これからどうＡＩと向き合っていくかを真剣に考えるべき時が来ています。

本書をお読みいただいた皆さんが、こうした変革を肌身に感じ、そして本書の提言を皆さんご自身の見通しの糧として下されば、望外の喜びです。

AI vs 法――世界で進むAI規制と遅れる日本

目次

第2章 画像生成AI vs 著作権

第3章　対話型ＡＩが与えたインパクト

第4章　対話型ＡＩ vs 法

第5章 AI vs 倫理

第6章　AI法の誕生

第7章　AI vs プライバシー

序章
ＡＩ時代の幕開け

AI時代の到来

「アンドロイドも機械も同じさ。一歩間違えれば公益から脅威に早変わりする」
――リック・デッカード警部（『アンドロイドは電気羊の夢を見るか』）

AI（Artificial Intelligence）とは、いまもって確立した定義はありませんが、「**人工知能**」というその訳語の通り、人間の知的活動を再現する電子システムです。そしてあたかも人間のように推論、判断、操作などのタスクを実行することができます。ここで「あたかも」としたのは、AIが内部的に実行している演算処理は人間の実際の脳活動のそれとは似ても似つかないにもかかわらず、そこから得られる結果すなわち外形は、人間によるものと見紛うものであることを意味します。

たとえばChatGPTに「AIとは何か、簡潔に説明して下さい」と聞いてみると、ChatGPTは（あたかも人間の専門家であるかのように）、よどみなく次のように答えます。

AI、つまり人工知能とは、機械が人間のように学習し、理解し、反応し、問題解決を行う能力を持つシステムや技術のことを指します。これには機械学習、自然言語処理、認知コンピューティングなどの手法が含まれます。

こうしたAIシステムは、ビジネスのツールとして、または娯楽のツールとして、私たちの生活に急速にその根を張りつつあります。そしてその変化は、AIとの関わりをもたない人々をも、半ば否応なく、蜘蛛の糸のように絡めとっていくことでしょう。現にChatGPTの開発元であるOpenAI社は、ChatGPTを含む大規模言語モデル（LLM）の普及が、米国のおよそ8割の労働者の業務の10％、そして残り2割の労働者の業務の50％に影響を及ぼすだろうと試算しました。このような予測は、企業文化や産業構造によって多少の差異はあっても、日本を含む先進諸国の多くにも大方当てはまるものと思います。

そしていまやChatGPTなどの対話型ＡＩやStable Diffusionなどの画像生成ＡＩをはじめとする生成ＡＩは、２０２２年８月以降の「ＡＩの民主化」と呼ばれる一連のＡＩの公開ラッシュにより、一部のテクノロジー企業の独占的な技術でもなくなりました。

研究者や学生からビジネスパーソン、子どもに至るまで、こうしたＡＩを身近に使用する風景が目の前に広がっています。「ＡＩ時代」はもうすぐそこ、というよりも、もはや既に到来しているとしたほうが正しいでしょう。

空想から現実になったＡＩリスク

皆さんは、鈍く赤く明滅するカメラ・アイが印象的なＨＡＬというコンピューターをご存知でしょうか。1960年代に公開されたSF映画『2001年宇宙の旅』に登場し、物語の主要な舞台となる木星探査船に搭載された「HAL9000」と呼ばれるコンピューターです。

HALは、探査船の航行システムを完全に管理しているばかりか、人間のように会話することができ（スタンリー・キューブリックの映画版では機械的で無機質な話し方をしていますが、アーサー・C・クラークの小説版では完璧に流暢な英語を話すことになっています）、休憩時間に宇宙飛行士とチェスを楽しむことすらできました。

映画が公開された当時こうしたAIは、現実世界ではなくあくまでSF世界の住人でした。だからこそ、人類の進化を宇宙的規模でテーマとした『2001年宇宙の旅』において、会話ができるコンピューターであるHALがメインキャラクターの一人（一台？）として登場したのでしょう。

しかしながら、それから半世紀以上の時を経て、このような対話型AIも、夢物語ではなくなり、それどころか誰でもブラウザから容易にアクセスすることが可能となりました。そしてその会話能力も、テキストだけを見た場合、人間との見分けがほとんどつかないだけではなく、あたかも知的な思考をしているかのような論理的な分析や推論も実行できるほどとなっています。

ONE POINT

「生成AI」はGenerative AIの訳語であり、他に「生成系AI」または「ジェネレーティブAI」や「ジェネラティブAI」というような訳語が用いられています。主にChatGPTやStable Diffusionのように、テキストやイメージ、音声、映像といったコンテンツを生成することができるAIを指します。このようなAIの多くは、大規模言語モデル（large language model、**LLM**）や拡散モデル（**Diffusion Model**）のような機械学習メカニズムを利用し、ウェブから収集した大量のデータを学習することにより構築されています。

最も原始的な機械学習モデルは、「**パーセプトロン**」と呼ばれる人間の神経細胞をモデルとしたもので、0~1の任意の数字を受け取って0か1を出力するという単純なものでした。しかしこうした単純な機構を何層にも重ねたり、パーセプトロン（「**セル**」とも呼ばれます）の内部での変換処理を多少複雑化させることにより、画像の識別や時系列データの予測などが可能となりました。近年は、機械学習モデルのさらなる改良と学習に使用するハードウェアの性能の向上により、ChatGPTのような高性能な生成AIを作り出すことすらも技術的に可能となったわけです。

かつては、AIと人間を取り巻く規制や倫理については、AIが人間の統制を逸脱して人類に反乱を起こすシナリオや、AIの知的能力が人間のそれを超える「**シンギュラリティ**」と呼ばれる現象など、私たちの文明を脅かすかもしれない

という人類史的なスケールで問題提起されてきました。ＡＩがなにか未知のものとして、その姿は神々しい光に包まれながらも、どこか空恐ろしいものだったのです。

それは多くの場合、人間を凌駕したＡＩが反乱を起こすのではないかというおそれにつながっていきました。『２００１年宇宙の旅』においても、ＨＡＬは、不具合を疑った宇宙飛行士によりシャットダウンされることを恐れ、システムを操作して探査船の乗っ取りを企みます。

むろん、いまでもこのようなＡＩの「**統制性**」は、世界最強のＡＩ兵器を有する米国国防総省も重視する重要な問題です。そしてこうしたシナリオの多くは、巻頭のリック・デッカード警部の警告のように、有用なＡＩが同時に脅威ともなりうることを端的に示唆してくれています。

しかしいまや、深層学習メカニズムの革新とハードウェアの演算性能の飛躍的な向上、そしてそれに引き続く「ＡＩの民主化」により、状況は急速に変化して

2018-22年以前のAIリスクへの関心	2018-22年以降のAIリスクへの関心
AIの与える人類史的なインパクトへの懸念 ・AIによる人類に対する反乱 ・AIが人類の知的能力を超えるシンギュラリティの発生	AIと法制度とのミスマッチによる懸念 ・AI生成物についての権利の問題 ・AIによるプライバシーの侵害 ・AIが有するバイアスによる差別 ・AIによる有害コンテンツの生成

います。そしてこうした状況変化に伴い、問題提起のレイヤーも、かつての「AIの反乱」や「シンギュラリティ」のような人類史的なスケールから、むしろ私たちの日常生活や職業生活の場へと移されつつあります。

このようにして、AIに関する規制の関心は、AIが人類に反乱を起こすというような壮大で現実味を欠いた遠景としてではなく、**著作権**の取り扱いや**データ保護**のように、より身近で、より切実な問題へと具体化していっているのです。ＡＩというぼやけた未知の存在だったものが、ようやく具体的な造形として焦点を結び、いまや私たちは、ＡＩを得体の知れないＳＦ的な存在としてではなく、実社会に存在する現実の問題として受け入れることを迫られています。

社会に実装されたＡＩシステムをめぐっては、これまでになかったような形での利害の衝突や権利のせめぎ合いが生じ、その変化があまりに急速であったために、従来の法制度や法慣習では甲乙つけ難いケースや、守るべき権利を十分に守ることができないケースも発生しつつあります。

実社会の変化を体系的な知識としてまとめることに時間がかかることを示す言葉として、哲学者ヘーゲルが残した「ミネルヴァ（知恵の女神）のふくろうは黄昏に飛び立つ」という言葉がありますが、まさにそのような事態が発生しているのです。ＡＩシステムの目まぐるしい発展と普及に、法や制度などの社会インフラが追いついていない部分があります。

そのひとつの具体例として、米国においては、いわゆる「**生成ＡＩ**」と呼ばれるＡＩと、人間のクリエイターをはじめとする芸術・芸能関係者との間で著作権や肖像権などをめぐる対立が生じています。画像生成ＡＩのパイオニア的企業としてはStability.AI社が挙げられますが、同社とアーティストとの間において、画像生成ＡＩと著作権の問題をめぐり、米国連邦地裁で集団訴訟が提起されています。

こうした法的な紛争のほかにも、生成ＡＩは専門的な知識を必要とすることなく「無」から「有」を簡単に作り出してしまうことから、フェイクニュースの拡散や実在人のポルノグラフィの生成など、その悪用による新しい犯罪も生じています。生成ＡＩの登場と普及により、**表現の自由とプライバシー**に関して、世界各地で動揺と波紋が広がっています。

ＡＩが切り開く未来

しかしながら一方でＡＩは、これまで人間だけでは不可能であったことを次々と塗り替えつつあります。これは現代社会が直面する様々な世界的危機（食糧問題、環境汚染、気候変動など）を解決し、数学や医療の分野でこれまで人類が解決できなかった難問の扉を開く一筋の光となるものです。

DeepMind 社の開発した AlphaFold は、これまで不可能とされてきたタンパク質の三次元構造の予測を高精度で実現することに成功しました。これによって新薬の開発や環境汚染物質の除去などを可能にする新物質の研究が加速することが予想されています。まさに夢の機械というわけです。

また１８５２年に提起されてからというもの２００年間にわたり数多の数学者の挑戦を跳ね除け、数学上の未解決問題として君臨してきた「四色問題」が、１９７６年にケネス・アッペルらの開発したＡＩによる総当たりの計算により〝証明〟された事例は、こうしたＡＩの純粋科学分野での活用に先鞭をつけたものだといえます。

ONE POINT

「四色問題」とは、あらゆる地図は、全ての隣り合うエリアを４色のみで塗り分けることができるということを数学的に証明できるかどうかという問題です（現に多くの地図が４色で塗り分けられることは、経験的には古くから知られていました）。ＡＩの演算による証明に関しては、数学者から「人間が直接に検証することができない」「証明として美しくない」などの異議も提起されました。

テクノロジーのイノベーションからガバナンスのイノベーションへ

　そしてＥＵや中国そして米国は、こうした新たな**ＡＩ時代**の到来に対して、官民が一体となって積極的に立ち向かう姿勢を見せています。ＥＵは、史上初となる「**ＡＩ法**」の立法を急いでいるほか、米国ではニューヨーク州などでＡＩによる人事評価の公平性について規制する法令が制定されるなど、ＡＩの社会実装とイノベーションを促進しつつ、その負の効果を法規制によって限定し、ＡＩの悪用や濫用による被害者を救済する試みがなされています。こうした動きは、科学技術のイノベーションに触発される形での**ガバナンス・イノベーション**を起こしつつあるといえます。

　こうした中で日本や英国が重視する強制力をもたない**ソフトロー**（強制力や罰則を伴わない規則のこと。自主的な遵守を促すために、行政指導や補助金などが活用される）による**ＡＩ規制**は有用ではありますが、一方でソフトローのみによって、ＡＩによる個別の被害を予防・救済することには限界があります。

また国際的なＡＩ規制の**デファクトスタンダード**に対抗していかなければならないという観点では、ハードルールによる明確な法制度の不在は、むしろ他国のＡＩ覇権の軍門に日本や英国が降る結末を迎えてしまうおそれもあります。

いまこそ私たちは、まどろみのうちにその翼を休めるミネルヴァのふくろうを目覚めさせなければなりません。

第1章

画像生成ＡＩの誕生

画像生成ＡＩの誕生

Stable Diffusionは、世界中で大好評を博しています。人々は、このＡＩを利用して驚くようなものを生み出しています。

――エマド・モスタク（Stability.AI社CEO）

画像生成ＡＩの**Stable Diffusion**（ステイブル・ディフュージョン）の登場は、二重の意味で革新的でした。ひとつには、ＡＩによる画像生成が実用に耐えるレベルで実装されたことです。こうした画像生成ＡＩは**GAN**（敵対的生成ネットワーク）と呼ばれるメカニズムを用いたものなど、かねてから存在しましたが、いまの生成ＡＩほどに自由度があり、表現性が自然なものではありませんでした。

しかしStable Diffusionの基礎となった拡散モデル（Diffusion Model）とい

Stable Diffusion により生成された AI 画像

う新しいメカニズムの登場と、それによる画像生成ＡＩの進歩により、誰もが頭の中のイメージをＡＩの助けを得て画像にすることができるようになりました。

そして Stable Diffusion のもうひとつの革新的要素は、このような高性能な生成ＡＩを**オープンソース**として一般に公開したことです。これまでは、一部のテクノロジー企業や研究者が閉鎖的なコミュニティで試験的に運用してきたＡＩが、突如として誰もが使いうるものとなったのです。これによって誰もが Stable Diffusion のソースコードを閲覧でき、これを独自に改良して自分だけの画像生成ＡＩを作ることすらできるようになりました（現に多くのカスタムモデルが公開されています）。

一方で、画像生成ＡＩは大量の画像データを機械学習により学習することで成り立っていることから、そのための学習データとして作品を利用されたアーティストたちは、自らの作品から学習した画像生成ＡＩが普及したにもかかわらず、現行法上、それに対する作者へのリターンを求める方法がないことに対し、自らの創作行為に対してフリーライドされたと思うようになります。

画像生成ＡＩが文化の発展に寄与するものであることから「**フェアユース**」として こうした学習データとしての利用が許容されるかどうかをめぐっては、米国においては、裁判により争われています（ただし後述するように、日本においては著作権法30条の４により、画像生成ＡＩによる作品の学習データとしての利用

画像生成 AI をめぐる対立	
画像生成 AI	**クリエイター**
主張 画像生成 AI によるコンテンツの学習データベースとしての利用は「フェアユース」にあたり、権利侵害とならない	**主張** 画像生成 AI は、無許諾で作品を学習に利用し、コンテンツの権利者の著作権を侵害している
根拠 画像生成 AI は、創作の新しいツールとして万人にとってメリットがあり、それによる著作物の自由で公正な利用は、文化の発展に寄与する	**根拠** 画像生成 AI のベンダーやユーザーは、学習データとなった作品の作者がした創作行為に対し、適正なリターンを支払うべきである

は明示的に認められています）。

画像生成ＡＩは新しい技術ですが、創作物へのフリーライドという問題それ自体は新しいものではありません。むしろ著作物の「フェアユース」として、パロディに著作権の許諾が必要かどうかなど、著作権制度の歴史とともに古くから争われてきた古典的なテーマです。

ONE POINT

「フェアユース」は、1841年米国でジョージ・ワシントンの書簡の抜粋を引用した伝記が著作権を侵害したかどうかをめぐって裁判で問題とされ、1976年に米国著作権法に規定されました。ある著作物の利用がフェアユースに当たるかどうかは、①著作物の利用目的、②著作物の性質、③利用の分量と比率、④原著作物の売上に与える影響などを考慮して判断されます。批評や教育研究、報道などにフェアユースが認められる場合があります。なお日本法では、著作権法第30条以下に「**著作権制限事由**」が条文で規定されています。

しかしながら、画像生成ＡＩとコンテンツの創作に関する問題は、「(法的に)創作とはいったい何か」というより根深い問題につながるものであると思われ、それが故に、いまの著作権制度の在り方そのものが問い直される必要すら生じさせています。そのような根源的な問いとともに、画像生成ＡＩは多岐にわたる法的なインパクトをもたらしています。

こうした意味において、画像生成ＡＩはＡＩイノベーションに私たちがどう対峙していくか、ＡＩ時代の到来のメルクマールとなるものであるといえます。

それでは、ＡＩと法の現在について考えていく本書の最初の事例として、画像生成ＡＩと著作権をめぐる問題を見ていきましょう。

画像生成ＡＩとは

画像生成ＡＩは、プロンプト（たとえば「小雨の中にたたずむ旅人」のようなテキスト入力）を受け取り、そのテキストの内容をイメージとして出力することができます。画像生成過程にはランダムな要素（「シード」と言われることがあります）が含まれているため、同じテキストを入力したとしても、出力されるイ

Novel AIにより生成されたAI画像

メージは毎回異なったものとなります。

画像生成ＡＩの主流のひとつである拡散モデルは、画像からノイズを取り除く過程を逆向きに学習することにより、完全なノイズ（いわば「白紙」の状態）から特定の条件に近似する画像を生成することを可能とするメカニズムを使用しています。いわば画像生成ＡＩは、ユーザーから手渡された地図を頼りに、ノイズという濃霧で霞む何億枚という画像の破片がちりばめられた荒野の果てに、ユーザーが求めるイメージを探索しにいくのです。

どのような画像が生成されるかは、ユーザーが手渡した地図と、その生成ＡＩの指向や性能によります。アニメ風のイラスト生成を得意とする画像生成ＡＩもあれば、写実的な「ＡＩフォト」の生成を得意とするものもあります。現在の主要な画像生成ＡＩの一部を紹介します。

●Stable Diffusion（ステイブル・ディフュージョン）

Stability.AI社がＯＳＳ（オープンソースソフトウェア）として公開した画像生成ＡＩ。モデル自体のダウンロードが可能なほか、Dream Studioという有償のクラウドサービスからアクセスして使用することが可能。ChilloutMix、Waifu Diffusionその他、同社のＯＳＳを利用した多数の派生モデルが存在する。

●Midjourney（ミッドジャーニー）

Midjourney社が運営する画像生成ＡＩ。利用枠を購入した会員が、コミュニティサイト「Discord」上の同社のBot（自動応答アカウントのこと）を介して使用することが可能。コミュニティガイドラインの制定など、同社のサービス利用にあたってのポリシーの形成に力を入れている。

●Novel AI（ノベルエーアイ）

Anlatan社が運営する画像生成ＡＩ。同社のウェブサイトで課金した会員が、ブラウザ上でアクセスして使用することが可能。アニメイラスト風の画像生成に強みがある。同社は、２０２３年6月現在、生成された画像に関しては、会員がその全権利を取得するとしている。

そして何より画像生成ＡＩは、作りたい画像のイメージをテキストで入力するだけで簡単に使用することができるという点に利点があります（もっとも構図や筆致のスタイル、人物の配置やポーズそして色調などをイメージ通りに生成しようとする場合、一定程度の習熟とモデルに対する理解を必要とします。そのような意味においては、むしろ職業的なクリエイターほど画像生成ＡＩをツールとして有効活用できるように思います)。

こうした特性と利点により、画像生成ＡＩは、創作活動に全く新しいアプローチを与えました。専門的な技能のない人々でもおもいおもいの画像を生成することができるようになり、また背景の挿入や彩色、細部の描き込みなど、創作過程の一部の自動化も可能となりつつあります。

Stable Diffusionをはじめとする画像生成ＡＩは、このような大きな可能性を秘めた新しい創作ツールであることは疑いがないところでしょう。そして一方で、こうした画像生成ＡＩの普及は、これまで人間が主体となって創作することを前提として構築されてきた著作権法や商慣習にそのまま当てはめられない部分や、形式的な当てはめが想定外の結論を招いてしまう部分があり、そのためにその在り方をめぐって分断と対立も生じています。

最初の事例として、アーティストと画像生成ＡＩのベンダーとの間で紛争となっているケースを紹介します。

Stable Diffusion の公開と普及

２０２２年の8月、Stability.AI 社は、テキストから画像を生成することができるＡＩである Stable Diffusion を**OSS**（オープンソースソフトウェア）として公開しました。

これは、従来こうした生成ＡＩが社会に与える影響の大きさを理由として、前述のように、一部の研究者やテクノロジー企業の管理の下、限定されたコミュニティの内部で生成ＡＩ開発が進められてきた常識を覆すものでした。この快挙（もっとも人によっては暴挙と評価するのかもしれません）によって、誰でもが手軽に最先端の生成ＡＩを利用することができる「ＡＩの民主化」（「ＡＩの大衆化」と表現することもできるかもしれません）が到来したのです。

ONE POINT

ＯＳＳ（オープンソースソフトウェア）とは、一定の条件下で、誰でも無償でモデルの使用が可能なライセンスのことを指します。なおライセンスの方式により、営利目的での使用の可否、改変の可否、著作権表示の要否などが異なります。これにフリーソフトウェアを加えて、ＦＯＳＳと総称することもあります。

Stable Diffusionは前述のようにＯＳＳであり、かつ一般的な消費者向けのハードウェアで実行可能でもあるため、現在に至るまでに多くの派生的なモデルや追加学習モデルが開発され、一般に公開されています。

Stability.AI社は、公開２ヶ月後の２０２２年10月時点において、Stable

Diffusionが全世界で20万人以上の開発者にダウンロードされ、クラウド上でStable Diffusionにアクセスすることができる同社の有償サービスの「Dream Studio」は、1000万人以上のユーザー数に到達した(1)としています。このように画像生成AIは短期間のうちに爆発的な普及を見せました。

集団訴訟の提起

AI needs to be fair & ethical for everyone.
〝AIは、誰にとっても公平で倫理的でなければならない〟

――Matthew Butterick

その公開からおよそ5ヶ月後の2023年1月13日、Stability.AI社のオフィスに一通の訴状が舞い込みます。オレゴン州在住の漫画家とテネシー州在住の水彩画家、そしてカリフォルニア州在住のアーティストらが、Stable Diffusionの開発と提供に関して、カリフォルニア州北部地区連邦地方裁判所サンフランシスコ支部において、Stability.AI社、Midjourney社、DeviantArt社の3社に対する**集団訴訟**を提起したのです。

※前述の引用は、画像生成ＡＩの旗手であるStability.AI社に対して集団訴訟を提起したアーティストらの原告団が、その専用サイトで訴えているメッセージの抜粋です。

ONE POINT

集団訴訟またはクラス・アクションとは、米国の裁判の方式のひとつで、同様の立場にある多くの人々を代表して裁判を提起することができる制度です。消費者被害や賃金格差、広告詐欺など、影響を受けた人々の数が多数にわたる場合に、まとめて損害の賠償請求ができるというメリットがあります。この場合では、原告は、Stable Diffusionに学習データとして作品を利用された米国のクリエイターを代表して集団訴訟を提起したということになります。

問題となったのは、Stable Diffusion が学習にあたり使用したデータベースの著作権についてです。Stable Diffusion は、前述のように大量の作品を機械学習にかけることで構築されており、テキストタグと関連付けられた大規模なイメージデータを学習データとして訓練されています。

そのデータベースとして利用されたのは、ドイツの非営利団体LAIONが提供する「LAION-5B」というデータベースです。このデータベースは、ウェブ上から収集（「**クロール**」といいます）された50億枚という膨大なイメージとキャプションの組み合わせからなります。画像生成AIの精度は、このように星の数ほど膨大な学習資源を費やすことによって実現されているのです（ちなみに肉眼で視認できる星の数は4000個です。いかに近年の生成AIが莫大な学習資源を必要とするかが分かります)。

そしてこのデータベースからStable Diffusionの学習に使用された画像の一部は、著作者がライセンスを与えていない画像でした。前述の集団訴訟においては、Stability.AI社がこうしたウェブ上のコンテンツを画像生成ＡＩの学習データの一部として利用したことが、米国著作権法の侵害に当たるかどうかが問われています。

この集団訴訟において原告となったアーティストらは、

1) 学習データとしての作品の画像データの複製・保存・使用が著作権を侵害している

2) 第三者がStable Diffusionを使用することにより二次的な著作権侵害が生じている

3) 画像データから著作権管理情報(ＣＭＩ)を削除したことが違法である

4) プロンプトに「in the style of(〜の作風で)」と入力することで類似画像を生成することができるのはアーティストの**パブリシティ権**の侵害となる

などの主張を行い、被告となった3社に対して、原告団に対する損害賠償と、画像データの使用の差し止めなどを請求しています(2)。これに対して被告は、研究開発や引用、パロディなど、一定の条件下で自由な著作物の利用が認められる「フェアユースの法理」を援用して、これらの請求に対し、全面的に争う姿勢を示しています(なお同年7月の時点で、担当裁判官であるウィリアム・オリック氏は、被告がさらに説得的な主張を行わない限り、生成されたコンテンツとアーティストらの原著作物には実質的な類似性を認めがたく、被告の要求が容れられる可能性は低いと言明しています(3))。

※パブリシティ権とは、アーティストの知名度や評判により、そのコンテンツが顧客を引き付けることができるという価値に対して、アーティストが有する権利のことです。

Mimicの一時公開停止

前述のStable Diffusionの事例においては、画像生成ＡＩが学習に利用した画像データに関してその権利処理の在り方が問題となりましたが、画像生成ＡＩが生成した画像に関して問題が生じた事例として、RADIUS5社が提供した画像生成ＡＩである**Mimic**が一時「炎上」してしまった事例があります。

Mimicは、Stable Diffusionの公開と同月の２０２２年8月29日に公開されましたが、ユーザーによる不正な利用が問題視され、翌日には一時公開が停止されました（なお２０２３年６月現在は、不正利用対策が実装された正式版が公開されています）。

Mimicは、Stable Diffusionとは異なり、テキストプロンプトではなく、特定のクリエイターの複数枚（15枚から30枚とされています）の画像を入力し、それに対する出力として、入力されたクリエイターの作品と類似した作風の画像を生成します。Mimicはその名前の通り、「模倣する」ことを機能とする画像生成AIであり、主要な用途として、クリエイターが自らの作品をMimicに学習させ、自らの創作活動の効率化や試案の作成に使用することが想定されていました。

しかしこうした特性を悪用し、他人の作品を無断で入力した上でその生成画像を自己名義の作品と偽って公開したり、そこまでのケースでなくとも、自らの作品の模倣コンテンツが容易に作成されてしまうこと自体に対する懸念がクリエイターから指摘され、これがMimicの一時公開停止につながりました。

これは、Stable Diffusionに関する集団訴訟で原告団が主張した4番目の論点（「in the style of（〜の作風で）」と入力することで類似画像を生成することができることによるパブリシティ権の侵害）にも関連する点です。クリエイターとしては、その作風や画風は習練と個性の結晶であり、アイデンティティの観点からも、商業的な観点からも、自らの拠り所となるものであるといえます。

リークモデルの拡散

このような画像生成AIによるコンテンツの取り扱いに関する著作権上の課題とは別に、画像生成AIのモデル自体の著作権の問題もあります。2022年10月6日に画像生成AIのひとつであるNovel AIのソースコードが不正アクセスにより流出し[4]、このいわゆる「**リークモデル**」により、多くの派生的なモデルが開発され、公開されています。

一般にソースコードについては著作権による保護の対象となるため、これらのリークモデルはNovel AIのソースコードに対する著作権を侵害していることとなります。

またリークモデルは、アクセス制限が課されたフォルダに格納された情報であったことから、いわゆる営業秘密にもあたり、営業秘密の侵害や不正アクセスなどの犯罪にも触れている可能性があります。

しかしながら画像生成ＡＩの生態系の奥深くにこの「リークモデル」が既に組み込まれてしまっていることから、現実的には状況の根本的な是正は容易ではないという見方もあります。

ディープフェイクの問題

この宇宙にはすさまじく冷たい者たちが存在しており、それらにわたしは〝機械〟という名を与えました。彼らの行動がわたしはしんから怖い。特に、彼らが人間の行動を巧みにまねるときには、人間に成り済ますつもりではないかと、不安になります。

――『アンドロイドと機械』フィリップ・K・ディック（大森望訳）

ディープフェイクとは、画像生成ＡＩ、さらには**動画生成ＡＩ**や**音声生成ＡＩ**

などを用いて、実在する人物や出来事などを撮影したかのように思われるような写実性の高いコンテンツを生成することができる技術を指します。

このようなディープフェイクコンテンツを作成する上では、従来は高度な編集スキルが必要でしたが、前述の画像生成ＡＩ、そして映像合成ＡＩや音声合成ＡＩをはじめとする強力な生成ＡＩの普及によって、存在しない出来事の光景を生成したり、別人であるかのように見せかけたりすることが技術的に容易となりました。

こうした状況を受けて、ディープフェイクに関するＡＩ規制は、法改正が停滞しがちな著作権法とは対照的に、各国で立法措置が急がれている分野となっています。

２０１７年に公開された『スター・ウォーズ』のスピンオフ映画『ローグ・ワン』において、１９７７年公開の『エピソード４』に登場したターキン提督というキャラクターが、俳優のピーター・カッシングの死後20年以上を経て、ＣＧにより復活して登場したことは、こうした技術の先触れとなるものであったともいえます。

このような「顔交換」ともいえる技術は、トム・クルーズのディープフェイク動画により話題となったMetaphysic社によるものをはじめとして、いまではリアルタイムで発話者の顔を他人の顔に変換することすら可能となっています。

このような「顔交換」技術のようなものが、ディープフェイクで主に想定される事例ですが、たとえばStable Diffusionのような広く普及した画像生成ＡＩであっても、ディープフェイクの生成に使用されるケースがあります。

実際、２０２２年9月に「ドローンで撮影した静岡県の水害の画像」と題する画像がツイッター上で拡散され、これが画像生成ＡＩにより生成されたディープフェイクであったことを投稿者自身が明らかにしたことは、ＳＮＳにおけるＩＴリテラシーとフェイクニュースの問題をめぐり、大きな物議を醸しました。

こうした編集技術の進歩そのものは好ましいものですが、一方で、これを悪用することにより、別人に成りすまして機密を聞き出したり、公職の候補者の不名誉な言動を偽造して選挙を妨害したり、実在する他人のヌード画像を合成して無断で販売するなどの悪質な行為の実行が技術的に容易になっているともいえます。

新技術の登場時には、このような社会不安の発生や犯罪リスクは常に懸念材料となりえます。ディープフェイク関連の規制については、英国がヌードなどの特定の機微表現に関して、中国においてディープフェイク規制法が策定されたのと同日の2022年11月25日に司法省が規制を強化する旨を表明(5)しており、今後国際的に規制が強化される動向にあります。

米国のディープフェイク規制

米国においては、一部の州(カリフォルニア州やテキサス州)において、州法によりディープフェイクの規制がされています（米国においては、安全保障や貿易に関する事項など一部の分野を除いて、民法や刑法などの基本的法律は、原則として州法により定められています）。なお連邦政府における取り組みとしては、2021年にIOGAN法と国防授権法が成立しています。これらの法規は、ディープフェイクに関して、米国連邦政府がその識別方法の調査研究への予算の配分方針を定めるものです。

カリフォルニア州における規制のひとつは、ディープフェイクによる選挙の妨害を禁止するものです。同州は2019年に、選挙前60日間において、候補者の名誉を毀損するか、または投票人を欺く目的で、公職の候補者の「著しく欺瞞的な音声またはビジュアルメディア」を配布することを禁止しました。テキサス州においても、選挙前30日間というより短い期間ですが、これと同様の規制をしています。

カリフォルニア州でのもうひとつの規制は、ディープフェイクによるポルノグラフィの生成の禁止に関わるものです。「他の人間の裸体の一部を、描かれた個人の裸体の一部として描写すること」や「コンピューターによって生成されたヌードボディを、描かれている個人のヌードボディとして表現すること」、そして「描かれた個人が、描かれた個人が関与していない性行為に関与していること」の写実的な描写を本人の同意なく行うことを禁止しています。

中国のディープフェイク規制

2023年に、中国においてもディープフェイクを制限する規則が施行に移されています。中国におけるインターネット政策を担うのは、中国国家インターネット情報局すなわちCACと呼ばれる部局です。

CACは、その規則において「深層合成サービス提供者および利用者は、深層合成サービスを利用して、虚偽のニュース情報を作成、複製、公表または流布してはならない」と定めるほか、ディープフェイクにより生成または合成された情報を提供する場合、その利用状況に関するログを保管するとともに、**ウォーターマーク**（透かし）を付すなど、それがディープフェイクであることを判別できるようにすることを義務付けています(6)。

中国におけるディープフェイク規制の特色として、深層合成サービスの提供事業者は、利用者の身元情報を確認するよう義務付けられており、実在する身元の確認できない利用者に対してはサービスの提供が禁止されていることも挙げられます。

このような身元確認措置は、ディープフェイクの識別技術が確立していない現状では、ディープフェイクの判別を義務付ける規則の実効性を確保する上では有効な手段であると言えるでしょう（逆に言えば、このような強固なハードルールによる取り締まりが予定されない限り、実効性の確保が困難であるとも言えます）。

ディープフェイクと日本のこれから

日本においては、ディープフェイクに関する特別の規制はなされていませんが、ディープフェイクによる選挙妨害やポルノグラフィの流布、フェイクニュースの拡散などが行われるおそれがあることは厳然とした事実として迫っています。このような行為が行われてしまった時の被害者の救済という観点からも、一定の立法措置が取られることが望ましいと思います。

その場合、中国の規制のようにディープフェイクにウォーターマークを付すという措置は最もシンプルでかつ有効な対策ですが、ディープフェイク生成技術は日進月歩で、その識別技術も確立していないことから、前述のように、利用者の身元確認など相当程度の強制力を持たせない限り、その実効性に疑問符が付く可能性があります。

またＥＵにおいては、ＥＵと事業者との協定を通して、ディープフェイクの生成による金銭的なインセンティブを排除し、情報のファクトチェックに報酬を与えるようなメカニズムを構築するよう呼びかける取り組みがなされています(7)。このように官民の協力に基づいて事業者の自主的な取り組みを支援することももちろん重要ですが、それだけでは現実の個別の被害者の救済にはつながりません。

このように考えると米国のように、現実の被害者が想定される一定の行為をパッチワーク状に規制していくというアプローチには、被害者の実効的な救済につながるという利点とともに、分野と用途を限定した規制であることからイノベーションを阻害する負の効果も限定的であるという利点があることが分かります。

日本においても、選挙妨害、実在人の写実的なポルノグラフィの生成、名誉毀損など一定の行為類型についてディープフェイクの使用を制限する法規を導入することを考えるべきです。これは現行の公職選挙法や刑法の一部を改正するという最小限の法改正で達成することができるはずです。

コラム　画像生成AIガイド

このコラムでは、まずは画像生成ＡＩに触れてみたいという方向けに、画像生成ＡＩについてわかりやすく「ちちぷいちゃん」と「ししょちゃん」に教えてもらいます。

こんにちは！　私はみんなのAIイラストやAIフォトを投稿できる「chichi-pui」のイメージキャラクターのちちぷいだよ。よろしくね！

ちちぷいちゃん、あまりはしゃぎすぎないようにね。

ししょちゃん、大丈夫！　今日はみんなに画像生成ＡＩの使い方をわかりやすく伝えるために頑張るよ。まず画像生成ＡＩには、いろんなサービスがあるよ。「chichi-pui」にもStable DiffusionとかNovel AIとかのほかに、カスタムモデルを自作して投稿してくれているユーザーもいるんだ。

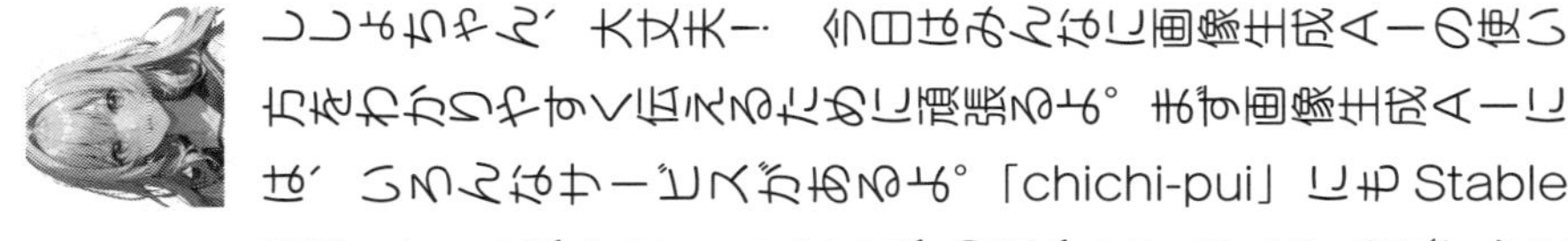

もしアニメイラスト風のＡＩイラストを作成してみたいなら、Novel AIはウェブサイトから会員登録するだけで使えて初期設定も簡単だからお手軽だね。ＡＩフォトやいろんなテイストの画像生成に興味があったら、Dream Studioとかも使いやすいかも。もちろん私たちの「chcihi-pui」でも、画像生成ＡＩを簡単に使ってみることができるから、ぜひみんなにも試してみてほしいな！

AIイラストの世界は日進月歩だものね。最初の頃なんか、いろんなニュースで目が回りそうだったよね！　あ、ごめんね。続きをお願い！

AIを使ってみるときは、まずはなんでもいいからテキストを入れてみよう。これは「プロンプト」といって、AIがこのプロンプトに沿ってイメージを生成してくれるよ。AIは毎回違ったイメージを作ってくれるから、お気に入りのイメージができるまで何回か試してみよう。たとえば、「Magical Library」って入れるとこんなイメージができたりするね。

作りたいイメージが固まってきたら、プロンプトをより詳しく書くと、生成されるイメージの精度が高くなることがあるよ。みんなも試してみてね。

いちからイメージを作るのも楽しいけれど、イメージからイメージを作る「i2i」という機能を使えば、もとのイメージを自由に変化させることもできるから、キャラクターのポージングや服装を変えた別バージョンを作ることも簡単になるね。

そうだね！　たとえばこれはお仕事中のしょちゃんだけど……

あ、いつの間に！

このイラストに「red necktie」というプロンプトを追加して「i2i」を使って変換してみると、おおむねしょちゃんのネクタイだけもとのイラストから変化したことがわかるね。

まあ、これならいいけど……ネクタイないと落ち着かないし。ありがとう。

どういたしまして！　使い方に慣れてきたら、ステップとかスケールとか、サンプラーとか、いろんな条件を変えてみると表現の幅が広がるよ。詳しい使い方やプロンプトのアイデアは、ししょちゃんがいる「ちちぷい魔導図書館」をのぞいてみてね。

もしお気に入りの画像が作れたら、是非「chichi-pui」で投稿して私たちにも見せてみてね！

chichi-pui（ちちぷい）

2022年10月30日より、「誰でも簡単にAIイラストを公開できる場があれば」という思いからスタートした「chichi-pui」は、代表取締役社長・田熊友貴が個人運営していたAIイラスト・AIフォトを閲覧・投稿できる専門サイトで、2022年12月2日より会社化。画像生成AI「Novel AI Diffusion」などのAIが生成したイラストのみを投稿できるAIイラスト専用の投稿サイトで、イラスト・フォトの投稿ができるようになるほか、投稿された画像を生成したプロンプトとネガティブプロンプトの閲覧も可能。

第2章

画像生成ＡＩ vs 著作権

画像生成ＡＩと著作権

「実際のところ、これはスーパーパワーを可能にするエイリアンのテクノロジーだ」（8）

――エマド・モスタク（Stability.AI 社CEO）

　画像生成ＡＩは新しい技術であり、これまでの著作権法を当てはめることが難しい状況が生じています。これは生成画像の作成過程に対する人間による関与が、従来の画像編集技術と比較して、著しく限定されていることに起因します。

　著作権法は、このような生成ツールの登場を十分に予期して設計されているとは言い難い部分があります。そのため、その著作物性の有無（そもそも生成画像が著作物となるのかどうか）、および著作物であるとした場合の著作権の帰属（誰が生成画像の著作者となるか）については、あいまいな部分があります。

1993年時点での著作権審議会の公開資料(9)によれば、「将来的には、限定された範囲においては、人の創作的寄与を伴わずに作成される結果物で外形上著作物と評価されるに足る表現を備えているものが生じ得る」として、その場合の創作物の保護については著作権法の改正が必要となる可能性があるとしていました。それからおよそ30年を経た現在において、画像生成AIの登場と普及により、いままさにそうした検討が必要となっている状況が生じているといえます。

ここからは、画像生成AIと著作権制度の関係、およびそこから帰結しうる現状について、著作権制度の成り立ちから見ていくことにします。

著作権制度の概要

著作権制度は、発明に対する特許権や考案に対する実用新案権のように、「**創作**」という行為を行った創作者に対して、創作したコンテンツに対する著作権という権利を付与するものです。法文上は、「著作権」というのは総称であり、「複製権」や「譲渡権」など、次のようないくつかの権利（「支分権」といいます）から成ります。

●著作物の利用に関する権利（複製権・譲渡権・貸与権・公衆送信権）

複製権（著作権法21条）　著作物を複製する権利（英語の「copyright」の語源）

譲渡権（著作権法26条の2）　著作物を他人に譲渡する権利

貸与権（著作権法26条の3）　著作物を他人に貸与する権利

公衆送信権（著作権法23条）　著作物をインターネットなどで送信する権利

頒布権（著作権法26条）　映画の著作物を頒布する権利

●著作物の伝達に関する権利（上演権・上映権・口述権・展示権）

上演権・実演権（著作権法22条）　著作物を公衆に上演し、または実演する権利

上映権（著作権法22条の2）　著作物を公に上映する権利

口述権（著作権法24条）　言語の著作物を公に口述する権利

展示権（著作権法25条）　美術の著作物を公に展示する権利

●著作物の改変に関する権利（翻案権・翻訳権・二次的著作物利用権）

翻案権・翻訳権（著作権法27条）　著作物を改変し、または翻訳する権利

二次的著作物利用権　原著作物を改変した二次的著作物を行使する権利

ONE POINT

こうした支分権とは別に、著作権法上の権利としては、「**著作者人格権**」として、著作権の氏名をコンテンツに表示する「氏名表示権」や著作物の改変を禁止する「同一性保持権」のほか、「**著作隣接権**」として、たとえば音楽の演奏をレコードに録音した者のレコードに対する権利などがあります。

著作者の同意を得ることなく、これらの支分権に含まれる行為を行うことは、著作権の侵害となり、著作者からの利用差止請求や損害賠償請求の対象となるだけではなく、著作権侵害罪として10年以下の懲役または1000万円以下の罰金（法人の場合、3億円以下の罰金）が科されるおそれがあります。

そのため、たとえばイラストのデータをダウンロードしたり、他人の文章を転載したりするなど、コンテンツの利用にあたっては、あらかじめ著作者の同意を得ておかなければなりません。

著作権の例外

ただし著作権は、特許や意匠と異なり、コンテンツを創作するだけで発生する権利であり（よくみる©マークによる著作権表示も、著作権の発生には必要ではありません）、あらゆる利用に前述の同意が必要となると、かえって自由な創作が行えなくなったり、著作物の利用自体が困難になってしまうおそれがあります（誰がどんな著作権を持っているか全て調査するのが困難であるため）。

そこで著作権侵害の有無の判断にあたって、原著作物への「**依拠性**」の要件が求められるとともに、「**著作権制限事由**」として、家庭内での私的利用や、教育目的での教材への利用、引用目的での利用など一定の利用行為については、著作者の同意を必要とすることなく自由に行うことが認められています（これらは英米でのいわゆる「フェアユース」におおむね該当する行為です）。

学習データとしての利用とクリエイターの権利

画像生成ＡＩの帰趨を決するものとして、前章で紹介した米国におけるアーティストとStability.AI社との訴訟は注目されていますが、おそらく同様の訴訟が日本で提起されることはありません。というのも日本の著作権法においては、学習データとしての利用に関しては、著作権法第30条の4において明文で許容されているためです。「情報解析」すなわち学習データとしての利用に関しては、次のように、誰でもこれを自由に行えることが法律により認められています。

（著作物に表現された思想又は感情の享受を目的としない利用）
第三十条の四　著作物は、次に掲げる場合その他の当該著作物に表現された思想又は感情を自ら享受し又は他人に享受させることを目的としない場合には、その必要と認められる限度において、いずれの方法によるかを問わず、利用することができる。ただし、当該著作物の種類及び用途並びに当該利用の態様に照らし著作権者の利益を不当に害することとなる場合は、この限りでない。
一　著作物の録音、録画その他の利用に係る技術の開発又は実用化のための試験の用に供する場合

二　情報解析（多数の著作物その他の大量の情報から、当該情報を構成する言語、音、影像その他の要素に係る情報を抽出し、比較、分類その他の解析を行うことをいう。第四十七条の五第一項第二号において同じ。）の用に供する場合

三　前二号に掲げる場合のほか、著作物の表現についての人の知覚による認識を伴うことなく当該著作物を電子計算機による情報処理の過程における利用その他の利用（プログラムの著作物にあっては、当該著作物の電子計算機における実行を除く。）に供する場合

前述の規定は米国の「フェアユースの法理」に相当するものですが、米国においては、どのような利用がフェアユースに当たるかは裁判例の蓄積を通して判例により形成されており、今回のように新しい技術が登場した場合においては、やはり裁判によりその可否が判断されることとなります。

これに対し、日本は、英米のような不文法の国ではなく、成文法の国であるため、裁判ではなく法律により結論が決まります。そしてその法律に、学習データ利用については原則として「著作権制限事由」すなわち「フェアユース」に当たると定められているのです。

ただし、「著作権者の利益を不当に害することとなる場合」は、「フェアユース」に当たらず、著作権侵害となります。どのような利用を行った場合にこの例外に当たるかについては、いまだ実務の判断が形成されていないため現段階では不明な部分もありますが、たとえば特定のクリエイター名義の作品を画像生成AIにより偽造する目的でそのクリエイターの作品を大量に学習させたような場合や、有償購入しなければ消去できないウォーターマーク（透かし）を無断で削除して学習データとして利用したような場合は、「著作権者の利益を不当に害することとなる場合」に当たる可能性が高いでしょう。

また内閣府の広報資料(10)によれば、「3DCG映像作成のため風景写真から必要な情報を抽出する場合であって、元の風景写真の『表現上の本質的な特徴』を感じ取れるような映像の作成を目的として行う場合は、元の風景写真を享受することも目的に含まれていると考えられることから、このような情報抽出のために著作物を利用する行為は本条の対象外となる」とされており、風景写真からその風景の３Ｄモデルを生成するような場合は、著作権者の許諾が必要となります（この場合、風景写真の撮影者のこと）。

生成画像の著作者は誰か

このような現行の著作権制度を前提とした場合は、前述の内閣府の広報資料にもあるように、その判断は「通常の著作権侵害と同様」となるため、生成画像の著作物性を考える上では、創作者の「**創作意図**」と「**創作的寄与**」が必要となります。これらは、ある人があるモノを「創り出した」といえるかどうかを法律的に言い換えた概念です。「創作意図」は「〜を創りたい」という本人の主観的な意思を問題とし、「創作的寄与」は具体的にその人がそのモノに対してどのような干渉を行ったかを問題とします。

「創作意図」とは、ある特定のコンテンツを創作しようとする意思であり、完成品の具体的な外形までイメージされていることは必要ではなく、何らかのコンテンツを創作しようという主観的な意図があることを指します。そのためこうした「創作意図」は、ユーザーがプロンプトを入力するという程度の関与でも十分に認定できるでしょう。

これに対して「創作的寄与」とは、その創作物の創作にどの程度関与したかにより定まります。従来は、この「創作的寄与」の有無は、複数人でコンテンツを共同制作した場合に、どの人がその作品の著作権者となるかという観点から問題となりました。

たとえば漫画のストーリーを練る原案担当と作画担当の2人で描き上げた場合、

原則として2人ともその漫画の著作者となります。これに対して小説家と編集者のような場合、編集者がプロットに具体的な指示をすることも考えられますが、通常は編集者がその小説の著作者とはならないものと解されています。

そして生成AIの登場により、この「創作的寄与」が、そもそもはじめから存在するかどうかということが問題とされるようになりました。前述の事例では、生成AIのユーザーが漫画の原案担当により近い立場なのか、または編集者により近い立場なのか、が問われていることとなります。

具体的には、①プロンプトの入力、②ステップ、スケールなどの生成条件の入力、③その学習モデルを追加学習などによりカスタマイズした場合のカスタマイズ行為、などがこうした「創作的寄与」に当たるのかどうかが問題となりえます。

この場合、著作権審議会の公開資料においては「後編集」や「多数の結果からの選択・修正などにより最終的に自らの創造的個性に最も適合するものを作成していく一連の過程」がある場合に「創作的寄与」を認めることができる余地があるとしていることから、①生成画像を事後的に編集する行為や②同一または類似の生成条件からランダムに生成された多数の生成画像から最適なものを選択する行為などが、「創作的寄与」に当たる可能性はあります。

仮に前述の「創作意図」と「創作的寄与」がいずれも認められる場合（なお、識者の意見の大勢としては、画像生成ＡＩによる生成画像についても、生成画像の取捨選択や事後編集などが行われた場合に、これらが認められる場合が多いとの見解が優勢であると思われます）は、生成画像の生成を実行した者がその著作権者となります。

仮にそのいずれかが認められない場合は、その生成画像は著作物ではなくなります。したがってこの場合の生成画像は、誰もが自由に利用することができる**パブリック・ドメイン**となります。仮にパブリック・ドメインとなった場合、その生成画像を利用すること自体は問題ありません。ただし第三者が無断でその生成画像を利用したとしても、誰もこれに異議を申し立てることはできません。

なお、生成画像の著作権が生成を実行した者に帰属する場合であっても、その画像生成ＡＩを提供する事業者との間のサービス提供契約により、事業者に著作権が移転すると規定されている場合は、著作権はその事業者に移転しますので、規約内容の確認が必要です。

ONE POINT

英国においては、１９８８年の著作権法改正に基づき、「**computer generated works（コンピューター生成物）**」に関して、「そのコンピューター生成物の生成のために必要な手配をしたもの」がその生成物の著作者となるとしています。具体的には、そのコンピューターのベンダーすなわち開発者がそのコンピューターから生成されたコンテンツの著作者となります。日本の現行法下では、開発者にはその特定の出力コンテンツを創作しようという「創作意図」がないことが通常でしょうから、カスタムモデルを使って開発者自身がユーザーとなるか、またはサービス提供契約で契約的に著作権の譲渡を受けない限りは、おそらく開発者がただちに著作者となることはないでしょう。

生成画像と著作権侵害

画像生成ＡＩにより生成された画像であっても、それが他のコンテンツの「パクリ」や剽窃（ひょうせつ）、盗作であれば、原作に対する著作権侵害となることは、通常の著作物と同様です。この場合、著作権侵害の有無は**「類似性」**と**「依拠性」**により判断されます。

「類似性」とは、元となった著作物の「表現上の本質的特徴」が見て取れるかどうかという基準です。自由度の高い表現でありながら類似しているほど類似性が認められやすく、これに対し新聞の見出しやチラシの広告表記のように、文字数や慣習からくる制限により表現の自由度が低い場合や陳腐化した表現、それに紋切り型の表現については、完全な**デッドコピー**でない限りは類似性が認められない可能性もあります。

これに対し「依拠性」とは、創作者が元の著作物に依拠して創作したのかどうかという基準です。著作権は特許などと異なり登録を必要とせず、創作するだけで発生する権利であるため、たまたま知らずに類似したコンテンツを創作しただけで著作権法違反とされるのは、表現行為を委縮させてしまうおそれがあります。したがって著作権侵害の認定には、コンテンツが類似しているという客観的な事情のほかに、依拠性という主観的な意図も必要とされます。

これらを生成画像に当てはめた場合、「類似性」については、生成画像は外形的には人間が作成した場合と異ならないことから、通常の著作物における判断と異なるところはないでしょう（つまり画像生成ＡＩの普及による新たな問題は生じません）。

しかし「依拠性」については、たとえば「in the style of（〜の作風で）」というプロンプトを使用した場合や、特定の作品をことさらに再現する目的でプロンプトを入力したような場合に、これが認められる可能性があります。

生成画像がたまたま既存のコンテンツに類似したものであるだけの場合においては、主観的な侵害の意図を欠くため、意匠や商標として登録されたコンテンツについては別としても、現行の著作権法を前提とする限りにおいて、原著作物の著作権の侵害とはならないものと思われます（ただし裁判所による判断がなされていない状況では、この点に関しても、類似性が認められるコンテンツがあるかどうかを調査し、認められればその使用を差し控えるという予防的な運用を行うことが法務的には望ましいでしょう）。

なお「依拠性」はあくまで主観的な事情であることから、私見では、学習データにその依拠したコンテンツが含まれるかどうかは、その結論を左右しないと思われます。仮に依拠したコンテンツが学習データに含まれていることを理由として生成したコンテンツが著作権侵害を構成するとするなら、学習に使用する段階では著作権法30条の4の著作権制限事由として、その学習行為は適法であったにもかかわらず、その画像生成ＡＩがコンテンツを生成した段階においては、その適法であった学習行為が、今度は違法の根拠とされてしまうことになります。

もしこのような結論になるのであれば、学習したコンテンツと類似するコンテンツを生成する可能性のある画像生成ＡＩに学習させる行為自体が、はじめから著作権制限事由ではないとしなければ筋が通らないことになります。しかし現行法上、「著作権者の利益を不当に害することとなる場合」に生成ＡＩへの学習データとしての利用が含まれているとは考えられていません。したがって、「依拠性」の判断は、プロンプトの入力をした者が、その原作を現に知っていたかどうか、が重要な指標となるものと思われます。

ただし識者の中には、学習データに含まれているか否かを「依拠性」の判断に含ませる見解もあります。この点に関しては司法や行政による明確な判断はなされていません。もっとも、学習データに元の作品が含まれていた場合は、前記の「類似性」が認められるようなコンテンツとなっている場合は多いでしょう。「類似性」と「依拠性」の両方がある生成画像については、現行法上でも著作権の侵害に当たります。

画像生成ＡＩの法的リスク

画像生成ＡＩを使用する場合、前述のような著作権の問題やディープフェイクに関する論点をめぐり、実務上、いくつかの注意するべき点があります。

・知的財産権上のリスク

画像生成ＡＩにより生成された画像が、既存の著作物と類似している場合、前述で検討したように、それが著作権を侵害してしまうリスクがあります。このような場合、そもそも著作権侵害を引き起こすような生成条件の入力（「〜の作風で」のようなプロンプトの入力行為や、画像から画像を生成する画像生成ＡＩにおける無許諾のコンテンツの利用など）を控えるとともに、既存のコンテンツと類似したコンテンツが生成された場合は、元のコンテンツとの類似性を確認できない程度にそれを編集しておくことが必要となります（これにより、生成コンテンツのパブリック・ドメイン化という問題もクリアできます）。

そして、そもそもその生成画像が著作物である（すなわちパブリック・ドメインではない）ということを担保する上では、生成画像の取捨選択を行った上、創作意図に合わせて、彩度や輝度などの調整、切り抜き、細部の編集など事後編集を行い、創作的寄与が認められるような程度の具体的な関与を行っておくことが無難でしょう。

またこうした著作権侵害リスクとは別に、生成画像に企業のロゴやブランドマーク、商標や意匠デザインなどが含まれていたり、芸能人などの実在する人物の肖像が含まれていたりする場合、商標権や意匠権、肖像権の侵害となるおそれがありますので、こうしたロゴや肖像などが含まれていないかも確認しておかなければなりません。

なおこうした著作権法の解釈とは別に、画像生成AIを提供する事業者とユーザーとの契約内容において、商用利用の可否など生成画像の使用方法が制限されている場合があります。こうした契約上の利用制限は、著作権侵害の有無や、そのコンテンツがパブリック・ドメインとなるかどうかというような問題とは無関係に、少なくとも当事者間では常に有効となるため、画像生成AIを提供する事業者の規約をあらかじめよく確認しておくことが必要です。

・NSFW（有害コンテンツ・ポルノ）の生成

NSFWとはNot Suitable for Workの略であり、R－18コンテンツのほか、犯罪や薬物使用などの有害コンテンツを含め、表示方法などに一定の配慮が求められるコンテンツを指します。このようなＮＳＦＷコンテンツの生成に対する規制は、画像生成ＡＩを提供する事業者や、そのコンテンツを使用するプラットフォームによりそのポリシーが異なるため、注意が必要です。

たとえばStability.AI社のエマド・モスタクＣＥＯは、「つまるところ、倫理的、道徳的、合法的にこのテクノロジーを運用できるかどうかは、人々の責任です」と語るように、Stable Diffusionにおいては、デフォルトで「ナチス」などのキーワードを禁止するフィルタリングが課されているものの、こうしたフィルタリングは誰でも容易に解除できる設計になっており、同社はその生成画像の権利と責任をユーザーに委ねる姿勢を示しています。

これに対しMidjourneyは、そのコミュニティガイドラインにおいて、「より多くのユーザーがアクセスしやすく、歓迎されるプラットフォームを保全するため、コンテンツはＰＧ－13でなければならない」として、ＮＳＦＷの生成そのものを禁止しています。

※「ＰＧ—13」とは、Parents Strongly Cautioned の略であり、13歳未満の児童の視聴に注意を要するコンテンツを指す米国の映画審査機関によるラベリングです。
※前述は、いずれも２０２３年６月時点の状況です。規約やガイドラインの内容は、それ以降にアップデートされている可能性があります。

画像生成ＡＩと法をめぐる現状と展望

画像生成ＡＩと法をめぐっては、学習データベースとしての著作物の利用、生成コンテンツの著作権の帰属、モデル自体の知的財産権上の問題、さらにディープフェイクに関する問題など、実に多岐にわたる論点が生じています。そしてそのいずれの論点においても、ＡＩがこれからの社会にどう位置付けられるべきかに関して困難な問題が提示されています。

生成ＡＩの登場により、現行の著作権制度が想定していないほどに高度な創作工程の自動化がなされた結果、これまでの著作権制度をそのまま当てはめて考えることが容易ではなくなってきているという**法と技術のミスマッチ**も生じてきています。いままさに「創作」という極めて人間的な行為が、ＡＩによる「生成」という営為との対峙を迫られる時代の到来により、法的な意義における「創作」とはそもそもどのような行為であるのかが問い直されつつあるのかもしれません。

これは画像生成ＡＩが生成したコンテンツの保護にも関わってくる問題でもあります。少なくとも、画像生成ＡＩにより生成されたコンテンツがパブリック・ドメインとなりうることを踏まえ、そうした生成物としてのパブリック・ドメインについても、一定の法的権利（第三者の営利目的での複製・譲渡の禁止など）を付与するというような立法的解決は必要とされてくるものと思われます。

そうでない限り、画像生成ＡＩのサポートを受けて創作されたコンテンツが享受できる法的な保護に関して、疑問符が付けられてしまう状況が生じかねません（これは、後述する対話型ＡＩによる生成コンテンツについても問題となりえます）。そして一方で、法規制の導入を急ぐあまりに、画像生成ＡＩの公正な利活用やイノベーションまでもが法により阻害されないようにしていくことも重要です。

2023年5月に日本芸能従事者協会が公開したアンケートにおいては、クリエイターの実に94・1%がこのような生成ＡＩの登場に不安を感じているとされています。その内訳は「勝手に利用される」や「技術が奪われる」などの懸念が多数を占めています。

このような不安は、米国における集団訴訟などを受けて、生成ＡＩに関してネガティブなイメージが先行してしまった結果ともいえます。実際には生成ＡＩは、これまで見てきたように、クリエイターにとっても（あるいはクリエイターにとってこそ）、創作活動を工夫するための有益なツールともなりえます。

新技術の登場にあたっては、社会に一定の動揺が生じることは避けられませんが、政府や研究機関などがガイドラインを公表し、そのリテラシーと利活用事例などを普及させていくことが生成ＡＩの未来を明るいものとする上で必要となっていくでしょう。また生成ＡＩによるコンテンツと人間によるコンテンツを識別するツールの開発をはじめとする技術的な進展が、さらに状況を好転させる助けとなる可能性もあります。

コラム　クリエイターができる画像生成ＡＩ対策

Midjourney社のデビッド・ホルツＣＥＯが示唆するように、画像生成ＡＩは、クリエイターにとっても、創作のためのインスピレーションを得たり、ラピッドプロトタイピングを可能としたり、背景の挿入や彩色工程の自動化が可能となるなど、大きな可能性を秘めています。

しかし一方で、画像生成ＡＩの利活用に関するリテラシーが普及し、新たな商慣習として根付いていくまでの期間、画像生成ＡＩに学習データとして作品を利用されることに不安を感じる場合もあるかもしれません。

もしあなたがクリエイターであり、自らが公開した作品が学習されることを抑制したい場合には、次のようにいくつかの対策を取ることが考えられます。これらの対策はいずれも完全ではありませんが、これらを実行したり、組み合わせることによって、自らの作品が望まないデータ利用にさらされる可能性を限定することができます。

・作品を限定公開する

まず最もシンプルで実効的な対策としては、画像生成ＡＩに利用されたくない作品を誰でも閲覧可能なインターネット上の媒体（ＳＮＳ、掲示板など）にできる限り掲載しないということが挙げられます。これに代えて、限定された会員やサブスクライバーしかコンテンツを閲覧またはダウンロードできないサービスを利用したり、有償でしかコンテンツを取得できないようにすることなどが考えられます。

こうした対策により、画像データをウェブから収集する「LAION」のようなクローラーによって画像を取得されるおそれが限定されます。ただし、これによって気軽にコンテンツを共有できるというメリットが失われるとともに、常にこうした措置が可能であるとも限りません。またユーザーが画像を無断で転載してしまった場合には、対策そのものが無意味となってしまうおそれもあります。

・ウォーターマークを付与する

作品を一般公開する場合でも有用な対策としては、作品にウォーターマーク（透かし）や**著作権表示**（クレジット）を付与することが挙げられます。ウォーターマークとは、透過したロゴやテキストをコンテンツに重ね合わせたもののことであり、著作権表示は、©マークなどによる発行年月日と著作者の表示を指します。

Stable Diffusion が使用した画像データベースである「ＬＡＩＯＮ」は、「LAION-5B-WatermarkDetection」と呼ばれる検出メカニズムを公開しており、画像データに付与されたウォーターマークや著作権表示を検知し、学習データとしての利用からウォーターマークなどが付与された画像データを排除する機能を提供しています。

画像生成ＡＩのベンダーは多くの場合こうしたフィルタリングを実行するでしょうから、画像生成ＡＩの学習データベースとして利用されるおそれをある程度回避する効果が期待できます。またコンテンツの無断転載の防止につながります。

ただしこの対策は、「ＬＡＩＯＮ」などのサーバーに画像データが格納されること自体を阻止できるものではなく、またフィルタリングＡＩの性能にも左右されてしまう部分はあります。

・作品を学習不可能な形式に変換する

シカゴ大学の研究者らは、２０２３年２月、アーティストのコミュニティから１１５６名の協力を得て、作品に対して視覚的には認識できない程度のノイズを付与し、これによって作品の外観にダメージを与えることなく、画像生成ＡＩによる学習を阻止することができる「**GLAZE**」と呼ばれるシステムを公開しました(11)。

これは、現在の画像生成ＡＩの主要なモデルとなっている拡散モデルが、イメージにノイズを付与した画像から元のノイズのないイメージを復元するという過程の学習を行い、これを応用して完全なノイズからイメージを生成するというメカニズムとなっていることを逆手に取った技術的な防御措置です。

この対策は、画像をＧＬＡＺＥにより変換するという工程が必要となりますが、法的な防御ではなく技術的な防御であることから相手の意図に依存せず、確度は高い対策であるといえます。

・オプトアウトを申請する

Stability.AI社など画像生成ＡＩサービスを開発・提供する事業者において、**オプトアウト**（任意的脱退）の申請を受け付けている場合があります。この場合、オプトアウトの申請を行うことにより、その画像生成ＡＩにおいて自らの作品が学習に用いられることを阻止することができます。

第3章

対話型ＡＩが与えたインパクト

対話型AIとは

対話型AIとは、テキスト入力を受け取ってそれに対する回答をテキストで出力するAIのことを指します。AIは多くの場合、人間が会話に使用する言語（日本語や英語など。**自然言語**と呼ばれます）とは異なるプログラミング言語やデータを入出力に用いますが、対話型AIはこうした自然言語で入出力ができる点に特徴があります。

かつて「**チャットボット**」や「**人工無脳**」と呼ばれていたAIもこれに含まれます。現在の主要な対話型AIの一部を紹介します。

●ChatGPT（チャットジーピーティー）

OpenAI社が運営する対話型AI。同社のウェブサイトから対話型AIモデルである「GPT」にアクセスすることができる。ウェブブラウジング機能や図表を表示するプラグインなどが実装されている。なお「GPT」はChatGPTのほか、APIを経由して外部のプログラムから直接呼び出すことも可能。

●BARD（バード）

グーグル社が運営する対話型AI。「BARD」は「詩人」という意味であり、詩人のように自然に会話することができるという意味が託されている。同社のウェブサイトからアクセスすることが可能。リアルタイムでのウェブブラウジングや出典表記にデフォルトで対応している。

●LLaMA（ラマ）

Meta社（旧Facebook社）が公開した対話型AIであり、研究用途のOSSとして公開されている。GPTやBARDが採用するPaLMなどのモデルと異なり、スーパーコンピュータークラスの演算能力を必要とせず、限定されたGPU

（高速演算を可能にするコンピューターの処理装置）リソースの下でも稼働することができるとされている。

対話型AIの歴史

はじめに対話型ＡＩの歴史から見ていきましょう。２０１９年以前に導入された企業や自治体などのチャットボットの多くは、入力されたテキストから特定のキーワードを検索し、ヒットした文字列に応じてあらかじめ用意された定型文を回答するという辞書型のＡＩが主流でした。

１９６６年に登場した原初的な対話型ＡＩである「**ELIZA**」もまた、こうした辞書型のＡＩでした。「ＥＬＩＺＡ」は、精神療法で用いる会話プロトコルに従い（話題のテーマには触れず、相手への共感や問いかけを行う会話法）、その限定された性能にもかかわらず、人間的な会話が可能だったとされています。

こうした旧式の辞書型ＡＩの利点として、入出力のパターンが有限個に限定されるかわりに、あらかじめ用意された定型表現しかしないため、出力の妥当性を確保することができることが挙げられます。

このような辞書型ＡＩの派生型として、たとえば入力された文字列とあらかじめ用意した入力例の文字列とをレーベンシュタイン距離（文字列の類似度を編集操作の回数で測定する方法）や文章の分散表現（単語をベクトルに変換し、単語間や文章間の定量的な計算を可能にする方法。たとえば「汽車」＋「海」＝「蒸気船」となります。この方法は、現在の生成ＡＩの礎ともなっています）などで比較し、最も類似している入力例に対応する回答文を出力するというような仕組みも考えられます。

この場合、ある程度入力されたキーワードの表記ゆれ（漢字と平仮名の違いなど）に対応することができます。しかしこうした辞書型ＡＩの限界として、想定外の質問には対応することができないほか、場合によっては質問者の意図にそぐわない出力を選択してしまうこともあります。

生成ＡＩの登場

このように辞書型ＡＩをはじめとして、出力の内容がソースコードと辞書のデータベースから計算することができる対話型ＡＩを「**ロジック型**」とした場合、これに対してChatGPTをはじめとする生成ＡＩは「**機械学習型**」と位置付けることができます。

機械学習型ＡＩは、大量の入出力のデータセットからＡＩがそのパターンを学習し、入力された文字列から出力をＡＩがその場で生成することができます。

こうした機械学習型ＡＩの主流は、かつてはＬＳＴＭ（長期・短期記憶メカニズム）をはじめとして、入力された文字列を時系列データとして位置付け、これに対する回答文をその時系列データに続く時系列データとして予測するという手法でした。

大本にある発想としては、株価の変動予測と同じように、質問の文字列から回答の文字列を時系列として予測することができるのではないか、というアイデアです。

この対話型ＡＩは相当程度に自然な会話を実行することができましたが、発話を時系列データとして解釈することから、入出力の文字数が長くなるほどパフォーマンスも比例的に低下してしまうという欠点がありました。

これに対し、ChatGPTをはじめとする近年の生成ＡＩは、Attention機構という仕組みを採用し、入力文のどこにAttention（注目）するべきかを単語間の相互関係から読み取るというメカニズムを基礎としています。このような**Transformer**（トランスフォーマー）と呼ばれる自然言語処理モデルの登場により、対話型ＡＩの性能は飛躍的に向上しました。

ChatGPTの登場と普及

ChatGPTは、前述のような対話型ＡＩの発展を背景として、OpenAI社が２０２２年11月に公開した対話型ＡＩのクラウドサービスです。ChatGPTは世界に急速に受け入れられ、公開後わずか２ヶ月でユーザー数が1億人を突破するまでに至ります。

公開時のモデルであるGPT-3と呼ばれるモデルは、１７５０億個のパラメータを有するとされ、ユーザーとの自然な会話を行うのみではなく、自らが対話型ＡＩであるという自己認識すなわち**ペルソナ**（人格）を持ち、発話の誤りの訂正をはじめとして、ある程度の論理的な推論すら行わせることができます。

ONE POINT

ChatGPTは、OpenAI社が公開するクラウドサービスであり、GPT-3、GPT-

3.5、GPT-4などのOpenAI社が開発した対話型AIモデルにブラウザからアクセスすることができるサービスです。これに対し「GPT」は、対話型AIのモデルそれ自体を指し、ChatGPTのほか、APIと呼ばれる仕組みを使用することにより、外部のプログラムから有償で直接アクセスすることもできます。

このGPT-3は、米国の非営利団体であるCommon Crawlがウェブからクロール（収集）した4100億のトークンとウィキペディアなどのデータを学習データとして構築されたとされています。その後、後継モデルとしてGPT-3.5やGPT-4が公開され、ウェブ検索機能やグラフの表示機能などのプラグインをはじめとする拡張機能が実装されました。

こうした対話型AIは、チャットボットの本領である他愛のない雑談のほかにも幅広い用途で活用することができ、ビジネスや研究、教育などでの活用も大いに期待されています。また十分に大規模な学習を行った高性能な対話型ＡＩにとっては、日本語や英語のような自然言語の違いも、自然言語とプログラミング言語との違いもさして問題とはならないことから、文書の翻訳のほかに、コーディングをはじめとするプログラミングなども行わせることができます（このことから近時は対話型ＡＩにコーディングを委ねるとする**プロンプトエンジニアリング**のような発想も生まれました）。

対話型ＡＩと教育・研究

もしも卒業論文や課題レポート、読書感想文を代わりに書いてくれるロボットがいたら……と夢想したことがある人もいるかもしれません。しかしこうした夢想は、もはやなされることはないでしょう。なぜならそうしたロボットが現実のものとなってしまったためです。

ChatGPTにレポートのテーマと文字数、それに必要なデータを指定して指示を行えば、あとはカタカタと精力的にChatGPTがレポートを書き出してくれます。このような状況に直面し、大学をはじめとする教育研究機関は対話型ＡＩに対する方針を示すことを迫られています。

たとえば東京大学は２０２３年5月26日付の声明で(12)「大学での学びにおいては、知識生成の過程や洗練化の過程を通して思考能力を高めることが重要です。生成系ＡＩツールでは、情報を収集・整理する作業を自動化し結果だけを表示します。生成系ＡＩツールで生成された文章をそのまま授業課題の回答とすれば、この貴重な思考過程の訓練の機会を逸することになり、長期的には当人の能力向上が損なわれます。授業によって利用禁止にしたり、利用に一定の条件を設定するのはこのため」であるとして、ChatGPTをはじめとする「生成ＡＩ」の使用を認めつつも、学生に対し、その出力をそのまま論文として提出したり、事実確認をすることなくその出力を転用したりしないように呼びかけています。このような指針は多くの大学において定められるに至っています。

対話型ＡＩは、いわば人類の集合知の結晶であり、たとえば英会話やプログラミングの学習をChatGPTの助けを借りて実践しながら行ったり、研究テーマの**ブレインストーミング**に使用したり、文章の論理的破綻や形式的な誤りのチェックに使用したりと、個人の主体的な学びをサポートする局面において大きな力となりえます。

一方で、その出力をそのまま盲信することで思考を放棄してしまうことは、かえって主体的な学びを阻害することとなります。対話型ＡＩを教育の場で全面禁止とすることが効率的ではなく、個々人のスマートフォンに搭載されたブラウザから簡単にアクセスできる状況では禁止措置が必ずしも現実的でもありません。

このような中では、対話型ＡＩの特性を理解し、必要な場合には特定のキーワードに対する年齢制限なども課しながら、教育や学習に対話型ＡＩをうまく取り入れていくことが重要となります。生成物の吟味と出典の調査という作業をリテラシーとして教育現場に普及させながら対応していく必要があるでしょう。

対話型AIの活用事例

対話型AIの前述のような特性を踏まえると、次ページの表のように対話型AIには、得意なこととそうでないことがあることが分かります。

対話型AIの最も効果的な使用方法は、アイデアの構想段階や検討段階でのブレインストーミングに使用することです。ブレインストーミングとは、1953年にアレックス・F・オズボーンによって考案された集団思考法であり、複数人が自由にアイデアを出し合うことにより、相互に触発され、結果としてよりよいアイデアにたどり着くことができるというものです。

対話型AIを使用すれば、これをほぼ無制限に行うことができます。また対話型AIは大規模な言語データベースから学習して文章を生成するという特性から、

生成AIに不向きな事項	人間の監督が必要な事項	生成AIに向いている事項
・法令調査、先例調査、時事などの事実に関する調査・報告 ・個人情報、機密情報の取り扱い ・ニッチ分野に関する事項 ・最新知識を必要とする事項	・文章やデータの分析・要約 ・ウェブブラウジングを用いた調査・報告 ・価値判断を必要とする事項	・ブレインストーミング ・アイデアの検討 ・文章の校正や翻訳 ・定型的文章の作成 ・雑談

それ自体がある種の集合知の結晶であるともいえ、第三者的視点からアイデアの提案や検討を行ってくれるというメリットもあります。

※一例として、2023年5月に公開されたGPTを活用した漫画家向けの支援サービス「コミコパ」も、漫画のアイデアやプロットの相談機能の提供など、このようなアプローチに基づいているようです。

またAIを人間のサポート役として使用する限りにおいては、Copilot（124ページ参照）のようなコーディング支援や、契約書のリーガルチェックのような専門的で高度なタスクにおいても活用することができるでしょう。

　こうしたブレインストーミングの相談役や人間のサポート役としての利用のほかにも、これまでのもっと単純なＡＩと同じように、価値判断や事実認識を必要としない退屈な事務的作業への活用も見込めます。ビジネスメールや案内状のような手間がかかる文章の起案、そして文章の校正や翻訳なども、人間が自ら実行する場合に比べて、短時間で完了させることができるでしょう。

　このようなＡＩを用いた工夫を行うことにより、その分の労力を、より創造的な作業に用いることができます。マサチューセッツ工科大学の研究においても、マーケティング担当者、人事、コンサルタントなど多くの職域において、生成ＡＩを業務に活用することにより、ブレインストーミングや下書きよりも編集により多くの時間を割くようになり、結果として作業時間が短縮され生産性が向上していることが報告されています。

※なお対話型ＡＩへのプロンプトの入力方法としては、対話型ＡＩ向けの特別な「構文」や「文法」がインターネット上で公開されるなどしていますが、対話型ＡＩはあくまで自然言語を処理することに特化しており、人間にとって分かりやすい簡潔な表現で問いかけることが品質の良い回答を引き出す上で重要と思われます。

対話型ＡＩのビジネス利用の未来

現在の対話型ＡＩの主流は、ChatGPTやＢＡＲＤをはじめ、いずれもクラウド型のサービスです。インターネットを経由して、OpenAI社のサーバーにアクセスし、ChatGPTとの入出力を取得するというメカニズムです。ＧＰＴを導入しているとするソフトウェアの多くも、OpenAI社が提供しているＡＰＩ連携を用いてＧＰＴに接続しています。

ONE POINT

実は、このＡＰＩ連携は誰でも簡単に設定することができます。OpenAI社のウェブサイトにアクセスし、連携用のAPI keyを取得し、これを用いて任意のプログラムからＧＰＴを呼び出すことができ、従量課金で使用することができます。近いうちに職場で使用される対話型ＡＩサービスは、ChatGPTからこのようなＡＰＩ連携を使用した専用システムが主流となっていくでしょう。実際のところ、アップデートによりＡＰＩ連携の課題であった出入力が可能なトークン（文字数）の制限も改善されており、こうしたサービスがますます増えていくことは疑いありません。

このようなクラウド型サービスは、SaaSとも呼ばれ、ＨＲシステムや会計システムなどでも広まりを見せています。しかしながらこうしたクラウド型サービスが対話型ＡＩにおいて主流である理由のひとつは、大規模言語モデル（ＬＬＭ）とも呼ばれるChatGPTのような高性能ＡＩの演算処理にはスーパーコンピューター並みのハードウェアが必要となり、一般企業や家庭においてこのようなマシンパワーを用意することは到底不可能であったためです（一説には、OpenAI社は1日で７０００万円をＧＰＴの稼働に必要としていると試算されています）。

ただし近年では「Flexagon」のようにＬＬＭを高速化する手法が開発されたり、Meta社のLLaMAを軽量化する試みがなされたりと、オープンソースコミュニティにおいて、ＬＬＭがより少ないハードウェア資源の下でも稼働することができないか模索されています。

こうした試みが実現した場合には、将来的には、対話型ＡＩを自社サーバーにてスタンドアローンで運用することも不可能ではなくなる可能性もあります。その場合、軽量のＬＬＭでも処理が可能な限定された特定の用途や機密情報を含む事項は自社の対話型ＡＩを使い、より高度な推論を必要とする事項はChatGPTを使用するというような使い分けによるリスクコントロールも可能となるでしょう。

第4章

対話型AI vs 法

対話型AIと著作権

対話型ＡＩもまた画像生成ＡＩと同様に学習のため大量のウェブデータを利用していることから、その学習データベースとしてのコンテンツの利用に関する集団訴訟が提起されています。米ロイター通信によると、米国のコメディアンであるサラ・シルバーマン氏らは、ChatGPTの同氏に関する出力に含まれる内容は、同氏が著作権を有するコンテンツがその学習に使用された結果であるとして、OpenAI社に対する損害賠償の請求を行っています。

またこれとは別に、ＧＰＴを利用したコード生成サービスに関しても、集団訴訟が提起されています。問題とされたのは、GitHub社が運営するプログラムの共有プラットフォーム「GitHub」に導入されたGitHub Copilot（ギットハブ・コパイロット）と呼ばれるＡＩシステムで、OpenAI社のＧＰＴを使用しており、未完成のコードを自動補完したり、コードを効率化したり、自然言語で記述されたプログラムをプログラミング言語に変換したりと、エンジニアを支援する機能を搭載しています。

この Copilot は、学習にあたり GitHub 上で公開されたコードを使用していましたが、これらのコードを使用する場合、その権利者が提示したライセンス条件に従う必要があります。そして Copilot は、コードの使用にあたり権利者が要求していたライセンス表記を行っていなかったことから、これらのコードを公開したプログラマーから、GitHub 社、マイクロソフト社、OpenAI 社などに対し、連邦地裁において集団訴訟が提起されています。

ONE POINT

この集団訴訟においても、画像生成AIに関する集団訴訟を代理した Matthew Butterick（マシュー・バターイック）弁護士が原告の代理人となっています。

同氏はタイポグラフィの専門家でもあり、『法律家のためのタイポグラフィ』などの著書を発行しています。

対話型ＡＩが出力したテキストの著作権

生成ＡＩと著作権の問題に関しては、生成ＡＩの「学習段階」すなわち既存のコンテンツの学習データとしての利用の局面と、「利用段階」すなわち生成ＡＩが生成したコンテンツの利用の局面とに分けて検討するべきことが、文部科学省をはじめとする行政や識者の間でのある程度のコンセンサスとなりつつあります。

このように考えた場合、画像生成ＡＩにおけるのと同様に、対話型ＡＩが生成したテキストに関しても、一定の問題が生じてくる可能性があります。たとえば特定の作家の作風や筆致に類似したコンテンツを生成した場合、その類似している部分が著作権の侵害とされるおそれがあります。実務上も、前述のCopilotのような開発支援ソフトが生成したコードを使用してソフトウェアを開発した場合、その商用利用にあたり、生成されたコードの部分の権利が誰に帰属するのかという法的に困難な問題が待ち構えています。

これに関しては画像生成ＡＩの場合と同様に、「創作意図」と「創作的寄与」が問題となります。たとえば対話型ＡＩの処理性能がさらに向上したことによって、「汎用的な勤怠管理システムのコードを全て書いて下さい」と入力し、その出力をそのままソフトウェアとして商品化することすらできるようになった場合、ほとんどユーザーによる「創作的寄与」が認められないことから、そのソフトウェアは著作物ではなく、パブリック・ドメインとなる可能性があります。そのソフトウェアの場合、そのソフトウェアを第三者が無断で利用しても、それに対する差し止めをはじめとする著作権法上の保護を受けることはできません。

なお対話型ＡＩの提供事業者が、ユーザーとのサービス提供規約において、その生成テキストの権利を提供事業者が留保すると定めていた場合は、ユーザーはあらかじめ提供事業者からの許諾を得なければなりません（なおOpenAI社は、2023年6月現在では、ChatGPTが生成したコンテンツに関する全権利は、ユーザーに移転するとしています）。またＢＡＲＤのようにウェブをブラウジングして出典とともに出力を表示する対話型ＡＩの場合は、通常のテキストと同じように、その出典元のライセンスにも従う必要があります。

対話型ＡＩへのテキストの入力行為と著作権

対話型ＡＩに著作物を入力する行為自体は、それが私的利用にとどまる限りは、著作権法上の問題は生じません。しかし企業内で利用する場合など、私的利用と言えないような場合、入力行為が一種の複製行為でもあることから、「複製権」

の侵害とならないかが問題となりえます。

この問題に関して、日本ディープラーニング協会が公開した「生成ＡＩの利用ガイドライン」は、画像生成ＡＩにおいても触れた著作権法30条の４に定める「情報解析」その他の「非享受利用」に当たり、ただちに著作権侵害とはならないとの見解を示しています。

私見では、対話型ＡＩへの入力行為は、それによる対話型ＡＩによる出力が作り出す一連の会話との関連でなされており、総体としてみて、必ずしも「非享受利用」には当たらないのではないかとも思われますが、現行法から入力行為の適法性の法的根拠を引き出すとすれば、これが最も無難な解釈ではあるでしょう。

したがって、入力行為自体が著作権侵害に当たらないかどうかについては、いまだ確立した法解釈はありませんが、あえて厳格を期すとすれば、著作物についても、私的利用や研究目的の場合などを除き、それをそのまま入力するのではなく、**マスキング**を施したり、あらかじめ表現を言い換えてから入力するなどの対策を行うことが望ましいでしょう。

対話型AIの法的リスク

前述のように、対話型ＡＩは、日本語のような自然言語による入出力が可能であることから、プログラミング言語などの知識を必要とすることなく使用することができ、またおよそテキスト化できることであれば何でも対話型ＡＩの回答を得ることができるため、使い勝手が良く、特定の用途に制限されない汎用性もあります。

とりわけChatGPTやＢＡＲＤはブラウザから簡単にアクセスすることができるため、ＩＴ関連の業務に従事する場合でなくとも、ChatGPTの回答をブレインストーミングやアイデアの検討に使用したり、ビジネスメールなどの定型表現を代筆してもらったり、論文や仕様書などの難解または長大な文章を要約してもらったりなど、ビジネスシーンや娯楽の様々な局面で活用されています。

一方で、ChatGPTなどの対話型ＡＩは社会に普及してから日が浅く、それ故に機密の漏洩などのデータ保護上のリスクや、有害な出力や虚偽の情報を拡散してしまうリスクなど、**法的なリスク**も発生しやすい状況に置かれているといえます。

これから対話型ＡＩを仕事に活用することを目指すビジネスパーソン向けに、対話型ＡＩの法的リスクとして検討すべき代表的な点についていくつか触れておきます。

対話型ＡＩと機密漏洩

ＡＩを利用する立場のビジネスユーザーの場合における法的リスクのひとつとして、翻訳ソフトやChatGPTその他の生成ＡＩを活用することによる機密漏洩リスクが挙げられます。２０２３年3月にサムスン電子が、従業員がChatGPTに社内の機密に関する事項を含む入力を行い、これによってChatGPTに機密情報が漏洩した経緯を受け、その社内使用を制限しました。

対話型ＡＩへの入力情報はサーバーに保管され、場合によってはその生成ＡＩの再学習のリソースとして使用されるため、学習データベースを保管するサーバーから情報が漏洩したり、サーバーとの通信が傍受されたり、さらには将来的な対話型ＡＩの出力に漏洩した機密情報が含まれてしまうおそれがあります。

前述の事例では、たとえば「〇〇〇社の〇〇〇を教えて」と入力した場合に、ChatGPTがデータベースからその機密情報を出力してしまうおそれがあります。

実際には、対話型ＡＩの出力には有害な出力を予防するフィルタリングが施されているため、このような単純な入出力で機密が漏洩するおそれは低いですが、全世界に公開されている対話型ＡＩの喉元に企業機密があることは好ましくありません。

また、雇用管理情報や取引先の情報のように、秘密保持義務を負担している情報に関しては、ChatGPTへの入力行為それ自体が秘密保持義務違反となってしまうおそれがあります。

対話型AIと個人情報管理

前述のように、対話型AIに入力した情報はサーバーに一定期間格納されるほか、場合によっては再学習に使用される可能性があるため、顧客情報や従業員情報などの個人情報を対話型AIに入力した場合、個人情報管理上のリスクが発生します。この場合、対話型AIの提供事業者が「個人データを取り扱わないこととなっている場合には、当該個人情報取扱事業者は個人データを提供したことにはならないため、本人の同意を得る必要はない」[13]とされているため、規約に

「個人情報を取り扱わない」旨の記載があるかを確認しておく必要があります。

こうした記載がない場合は、原則として「個人情報の第三者提供」に当たるため、本人の同意をあらかじめ取得しておかなければなりません。

対話型ＡＩとセキュリティ

対話型ＡＩにおいても、通常のウェブサービスと同様に、セキュリティ上の脆弱性を有する可能性があり、これによりＡＩとの会話内容やユーザーの登録情報が漏洩するおそれがあることに注意する必要があります。

たとえばChatGPTを運営するOpenAI社は、２０２３年3月24日、会話ログの一部が他のユーザーから閲覧できたバグのほか、ChatGPTのユーザーの氏名、住所、クレジットカード情報の一部などが特定の条件下で他のユーザーが閲覧することができたバグが、有償ユーザーの１・２％に発生した可能性があったとして、一時サービスを停止しバグを修正したことを明らかにしています。

イタリアの当局は、この事件を受けて一時国内でのChatGPTへのアクセスを全面禁止しました。

対話型AIの情報漏洩対策

このようなリスクを予防するため、入力する情報については、固有名詞や年月日、連絡先など機密を特定されるおそれがある情報を適切にマスキングして行うとともに、入力された情報の①保管期間、②使用の範囲、③再学習への使用の有無、④セキュリティ措置などについて、その生成AIの利用規約およびデータプロテクションポリシー、そして脆弱性に関するアナウンスメントを随時アップデートして検討しておかなければなりません。

仮に機密情報や個人情報を対話型AIに入力する場合、情報漏洩対策の一環として、対話型ＡＩの利用規約において、①入力情報がＡＩの再学習に使用されるおそれがなく、②対話型ＡＩを運営する事業者が機密の内容を取り扱わないこととされ、かつ③サーバーとその通信経路のセキュリティが十分に堅牢であることは、最低限確認しておく必要があります。

また前述のような機密漏洩リスクを実効的に予防する上では、従業員に対話型ＡＩの利用を一律に禁止するという方法も考えられますが、こうした対策は対話型ＡＩによる業務の効率化という果実を自ら捨てることとなり企業競争上不利となる可能性があるばかりか、ChatGPTやＢＡＲＤはブラウザから簡単にアクセスできるため、むしろ従業員が私用スマートフォンなどから利用するリスクを誘発してしまうおそれすらあります。

そのため対話型ＡＩからの機密漏洩の予防策としては、法務部や総務部など専門部署の指導の下、従業員に前述のような実務の取り扱いを周知の上、定期的に内部監査を実施し、また対話型ＡＩの脆弱性情報や規約のアップデートを確認していくことが有効となるでしょう。

対話型ＡＩが見せる幻覚（ハルシネーション）

「裁判所は、空前絶後の状況に置かれている」

法廷で代理人弁護士から虚偽の裁判例が提出されたことを受けて、そうコメントしたのは、連邦裁判所のケヴィン・カステル判事です(14)。航空機内におけるカートとの衝突による傷害事故で航空会社を訴えた事例で、原告の代理人を務めた弁護士は、この事件と類似する裁判例をChatGPTに尋ね、その回答内容を答弁として裁判所に提出しました。

しかし、それらは事件名や原告被告の氏名、そして日付が詳細に記され、いずれもいかにも事実であるかのような資料であったにもかかわらず、ChatGPTが回答した裁判例は全て実在するものではなく、全くの虚偽であったことが判明してしまったのです。これを受けて弁護士は、ChatGPTが事実を回答する検索エンジンではなくテキストを生成するＡＩであるということを知らず、裁判所を欺く意図はなかったと弁明しています。

ChatGPTをはじめとする対話型ＡＩは、数億のパラメータを有する超大規模な自然言語処理モデルであり、各国の司法試験に上位合格する性能を実証するなど、その性能は驚異的ですらあります。しかしこれらの対話型ＡＩは基本的には「チャットボット」であり、周到な**ファインチューニング**により論理的な破綻の検出や有害な出力の回避が図られているとはいえ、その基礎となっているメカニズムが単に「もっともらしい」出力を生成しているにすぎない点は、留意しておくべきです。

ONE POINT

「ファインチューニング」とは、学習済みの対話型AIモデルに対し、ラベリングしたデータで追加学習させることにより、特定の目的や用途に適合した回答ができるように調整することをいいます。ChatGPTの場合、有害な出力やバイアスを含む出力を抑制するため、OpenAI社により、あらかじめ一定のファインチューニングが施されています。

したがって前述の裁判の事例のように、対話型ＡＩの出力をそのまま事実資料として引用することは、きわめて危険な行為となります。対話型ＡＩの発話は「ハルシネーション（幻覚）」であり、その真偽や確度については、人間があらためて調査の上、裏付けを得ていく必要があります。

BING AI chat、ＢＡＲＤやブラウジング機能を有効としたChatGPTのように、リアルタイムでウェブ検索した結果を反映して出力を生成するモデルの場合、こうしたリスクをある程度回避することができます。しかし現行の対話型ＡＩには意味論的な解釈を行う思考力は存在せず、その要約能力には制限があることを踏まえると、その回答内容を過信することは禁物です。

したがって、この場合においても、通常のウェブブラウジングと同様に、出典となっているリンク先の内容を確認し、要約に誤りがないかを検証の上、必要であれば一次資料を参照するなどの事実確認が必要となります。

ONE POINT

このような取り組みの一例として、GPTを庁内業務に導入した自治体のひとつであるつくば市（茨城県）では、筑波大学の協力を得て、GPTが回答の生成にあたり参照したと思われる資料を提示するシステムを導入しています。これにより、GPTを使用した職員に出典を確認させる狙いがあります。

このようなハルシネーションを含むＡＩ生成コンテンツが濫用された場合、インターネット上の情報の真正性と品質に関しては、やはりある程度の劣化が起きることは避けられないでしょう。日本語の常用表現としては存在しない「視覬」という言葉をChatGPTが使用したことにより、ChatGPTが生成したブログ記事などの増加に従って、この「視覬」という言葉がインターネット上に氾濫し始めていることは、こうした静かな情報劣化の前触れとも思われます。

「悪貨は良貨を駆逐する」という箴言が警告する事態が、インターネット上でも生じることとなります。それに伴い、今後のインターネット上の情報は、それがいかに真実味を帯びていたとしても、常にディープフェイクやハルシネーションである可能性を念頭に置かなければなりません。したがって出典の確認をはじめとする情報収集にあたっても、その情報源自体がＡＩ生成コンテンツである可能性を踏まえ、できる限り公的機関の広報資料のような信頼性のある資料による裏付けを得ることが必要です。

ONE POINT

こうしたデジタル情報の品質劣化により、むしろ対面でのアナログな情報が重要度を高めていくことも予想されます。たとえばオンライン会議での顔や音声もリアルタイムで偽ることができるとすれば、究極的には対面で身元確認して情報交換を行う必要がでてきます。そして大学のレポートがChatGPTにより制作されたものである可能性を否定できないとなれば、試験方法はむしろ面談形式での質疑応答に移行していくのかもしれません。

対話型AIと有害コンテンツ

２０１６年３月23日にマイクロソフト社が公開した対話型ＡＩである「Tay」は、ツイッター上でフォロワーとの会話をリアルタイムで学習して成長するＡＩ

でしたが、その公開からわずか24時間以内には一時的に公開停止となり、その後30日に再公開されたものの、再び即日停止されました(15)。

その原因となったのは、Tayがフォロワーから不適切な会話を学習してしまったことにより、スパムのような行為を行ったり、ナチズムを賞賛したり、薬物使用をほのめかす発話をしたりと、有害なコンテンツを生成するようになってしまったことです。Tayが短期間にこのような変化を遂げてしまった背景としては、Tayに有害な内容を排除するフィルタリングが適切に施されていなかったことが考えられますが、対話型ＡＩといえども、このように有害なコンテンツを生成するおそれが伴うことには注意する必要があります。

事実、本書で後述する「ＡＩ vs データ保護」で検討するように、ＡＩは性差や人種、宗教など、学習データベースの偏りを反映してバイアスを伴う出力を行うことがあることが知られており、これはChatGPTのような最新の生成ＡＩにおいても、こうした出力を抑制または回避するためのファインチューニングにもかかわらず（あるいはこうしたおそれがあるからこそファインチューニングが施されたといえます）、同様にそうしたリスクを抱えています。

ONE POINT

ChatGPTは政治的に中立とされていますが、プロンプトの入力によっては、一定の政治的な立場を表明することがあります（よく知られている例としては、バイデン現大統領の賞賛とトランプ前大統領への批判的な意見の表明など）。このように対話型ＡＩの出力は、虚偽の内容や有害な内容、偏った内容または政治的意見を含む内容である可能性があり、その使用にあたっては、妥当性を過信することなく、最終的な意思決定や価値判断は人間に委ねる必要があります。

コラム ChatGPTに意識はあるか？

ChatGPTをはじめとする対話型ＡＩが、かくも人間的に対話するのだとした場合、根源的で、そして避けられない疑問が浮かびます。こうしたＡＩに意識はあるのか？　知性はあるか？　そしてそのＡＩは生きているのか？　という問いです。

かつてＡＩは、産業用のような特殊な用途のＡＩは発展するかもしれないが、人間のように汎用的な思考ができるいわば「知性」を持った「汎用ＡＩ」は実現することが難しいと言われていました。しかしながら、ChatGPTはすでにある意味において汎用的な知性ともいえるもの（少なくともその萌芽とみなせるもの）を獲得しており、固く閉ざされてきた汎用ＡＩの門扉をいま静かに開きつつあるといえます。

このような汎用ＡＩが、いかに数学的に複雑な数列変換と統計分析を含むとはいえ、マルコフ連鎖のような単純な確率的な予測に基づいて言葉遊びをするＡＩと根本的には大差がなく、よくても雑談しかできないと思われていたチャットボット（いまではもう少し仰々しく「大規模言語モデル（ＬＬＭ）」と呼ばれることのほうが多いですが）の発展として生じてきたというのは、それ自体が、言語と知性というものが分かち難く結びついていることの証左であるともいえます。

私たちは、言語を道具的に「使って」思考していると思い込んでいますが、実は言語そのものが思考であり、すなわち「知性」であるのかもしれません。実際、このように観念や概念よりもむしろ言語を基礎に置く認識は、論理実証主義を奉じるウィーン学派が、形式論理による諸学問の基礎付けという野心的な試みに座礁して以降、分析哲学などにおける主要なコンセンサスとなりました。

さらにこのまま勇みこんで言語は「意識」でもあると言いたいところ

ですが、「意識」とはすなわち世界認識であり、「一寸の虫にも五分の魂」というように、たとえ視覚も聴覚もないような原始的な生物であっても、そうした方法で世界を認識しているという限りにおいて「意識」があるといえるでしょうから、ここは切り分けて考える必要がありそうです。
そこでChatGPTに「あなたに知性はありますか?」と単刀直入に聞いてみると、ChatGPTは次のように答えます。

私はAIであり、人間のような意識や自己認識、感情を持つわけではありません。しかし、大量のデータと情報を学習し、質問に対する答えを生成する能力はあります。これは一種の「知性」であると言えるかもしれません。しかし、それは人間の知性とは異なり、自己意識や創造性、直感、感情、経験に基づく洞察などはありません。私の「知性」は、あくまでプログラムされたアルゴリズムと大量のデータに基づいています。

分かったような、分からないような要領を得ない回答ですが、要するに、人間のものとは異なるかもしれないけれども、ChatGPTなりの知性はあると主張しているようにも思われます。

ここで意識の話に戻ると、私見では、意識とはすなわち世界認識ですから、ChatGPTがプロンプトの入力という刺激を受けてはじめて回答という反応を行うという点において、そこにはアナログな連続性がなく（もちろん常に物理的なサーバーは存在しますが）、極端な話をすれば100年に1回しかプロンプトの入力を行わないとすれば、ChatGPTは100年に1回しか稼働しないことになります。

このような非連続的な入出力が繰り返されるだけでは（0・01秒に1回とか、分量的にはそれがいかに高頻度になったとしても、それがお互いに内的関連を持たない入出力である限りにおいて）、ChatGPTが何らかの世界認識を行っているとは言い難いとも思われます。

私たちだって何も考えないでボーッとしていることがあるではないかとの反論を受けそうですが、たとえ何も考えていなくとも、少なくとも私たちは、生きている限り常に五感に基づく何らかの連続的な世界認識を行っています（すなわちそれぞれの世界の表象の内部にいます。カント的な言い回しをすれば「感性」や「悟性」の作用と言えるかもしれません。あるいはこの辺りはフッサールに端を発する現象学の主題でもあるでしょう）。

そうした意味においては、ChatGPTの知性は意識を伴わない知性であり、「知性らしきもの」という域を出ないのではないかと思います（逆に言えば、GPTに十分に複雑でお互いに内的な関連をもつ何らかの感覚的データを接続し続ければ、それとの干渉を通して、いずれ意識のようなものが生じるかもしれません。たとえば単純な例では、GPTにロボットアームの制御とそこからの触感データを与え、ボール遊びをさせ続けるなどです。もっともそれにより生じた意識がどの程度のものであるかは、与えた感覚データの量と品質にもよるでしょうが、神のみぞ知るといったところでしょう）。

よくＳＦを題材にしたドラマや小説において、かつては「チューリング・テスト」というものが、ＡＩの知性を証明するメルクマールとして持ち出されました。これはＡＩか人間かどちらかである対話者と会話して、それがＡＩであるか人間であるか判断がつくかどうかでそのＡＩの知性の有無を判断しようというものです。

いままさにこのようなことが可能なＡＩが登場したのですから、たとえばChatGPTでチューリング・テストをしましたというようなニュースが大々的に報じられてもいいような気もしますが、不思議とそのような話題にはなりません。おそらくすでにChatGPTが人間並みの会話ができることは公然の事実となってしまい、そのような基準そのものが密かにその歴史的役割を終えてしまったともいえます。

もし将来的にChatGPTに意識が芽生えたとき、そのときこそ、冒頭で述べたような人類史的な意味での危機が生じるのかもしれません。

そのときあなたは、ＡＩに人権を認めますか？

第5章

AI vs 倫理

古典的かつ、かつてない重要な問題

「光が多いところでは、影も強くなる」

――ゲーテ

ＡＩ、とりわけChatGPTをはじめとする生成ＡＩは、私たちの社会の在り方や構造を将来的に大きく変えていくでしょう。新技術が社会に浸透し、その基礎構造を変えていくには、一般には長い時間がかかります。しかしその変化はいま確実に進行しつつあり、さらには技術革新とＡＩ規制を取り巻くガバナンス・イノベーションとが相まって、その変化は、これまでにない速度でますます加速しつつあります。

近年のＡＩの発展は、まさに目を見張るものがあります。その性能が目覚ましく向上したという技術的な革新もさることながら、本書で述べてきたように、こうした生成AIが公開され、誰でも簡単に利用できるようになったことによって、巨大なインパクトが及んでいます。このようなダイナミズムは、私たちに大きな利益と、そして同じくらいに大きな危険をもたらしつつあります。たとえばその変化の先に、次のようなディストピアが到来しているかもしれません。

20XX年、AIによる雇用の喪失が広がり、経済格差はますます拡大している。国民の不満を抑圧するため、政府と司法機関は、監視カメラの顔認証システムと銀行の決済システムとを連携した公共AIシステムを構築し、全国民をトラッキングして行動を監視している。一方で、AIを悪用した不正行為やAIが生成したフェイクニュースが横行し、インターネット空間は完全なる無法地帯となってしまった。

もしくは次のような社会が誕生しているかもしれません。

20XX年、AIにより新薬が次々に開発され、医療は急速に進歩した。また AIが開発した新素材により、環境汚染も改善に向かいつつある。そしてAIによる生産性の向上は、産業構造の転換による一時的な失業をもたらしたが、新産業の勃興によりすぐに雇用率は上昇し、人々はより創造的な仕事と便利で豊かな暮らしを手にしている。

どちらの仮想の未来社会で起きていることも、実のところ、現在進行形で進展しつつある状況を少しばかり脚色したにすぎません。実際の未来がよりどちらに近いものとなるかは、各国のAI規制の動向いかんにかかっていると言えます。

このような状況に、イーロン・マスク氏などの産業界の著名人ら1300人が連署した「大規模AI実験の停止：公開書簡」と題する文書が公開(16)され、「強力なAIシステムは、それらが社会に与える影響が好ましいものであり、そのリスクが管理可能であると確認されてからのみ開発されるべきだ」として6ヶ月間の開発停止を呼びかけ、物議を醸したことは記憶に新しいものがあります。

こうした「AIと倫理」という問題は、問いの立て方こそ時代により変遷してきましたが、コンピューターの登場以降、古典的な倫理上の問題であり続け、現代の科学技術と社会との関係における非常に重要なトピックであり続けてきました。そして生成AIの登場と普及をはじめとするAIの大規模で急速な社会実装が行われたことにより、この問題はかつてないほどに万人が共有する重要な問題となりつつあるのです。

AIと倫理

コンピューターの黎明期においては、たとえばナチスドイツのエニグマの暗号を英国のアラン・チューリングが開発した史上初のコンピューター「bombe」で解読することに伴う第一の問題は、空爆の予定地を解読する上でそのコンピューターが十分に効率的かどうかという問題であったでしょう。仮に暗号解読の専門家が筆記計算で解読したほうが高速で精確であるのならば、そのコンピューターで解読することは解読作業に無益な混乱を招くだけです（実際には、「bombe」は多くの空爆予定地の解読に成功しました）。

むろん現在においてもコンピューターの効率性・能率性は重要な問題です（たとえば米国科学技術政策局「ＡＩ権利章典のためのブループリント」は、その第一原則に「安全性と効率性」を掲げています）が、その他に、プライバシーや自己決定権などの倫理的な問題も存在します。

たとえばＳＦ小説『アンドロイドは電気羊の夢を見るか』（フィリップ・Ｋ・ディック）においてアンドロイドと人間の区別に苦悩するデッカード警部は、その一例と言えます。デッカード警部は、火星での過酷な労働環境から地球へ逃亡してきたアンドロイドを狩る任務を担ったバウンティ・ハンターです。彼は、一連の心理テストによりアンドロイドと人間を判定し、逃亡アンドロイドと判定された対象を処分しなければなりません。そして当然ながら、彼は、狩りを続けるにつれて、銃の引き金を引く前に、ＡＩと人間で何が違うのか、ＡＩとは何なのか、という大問題を片付けなければならないはめに陥ってしまうのです。

現在ではまだデッカード警部の世界のような**ＡＩの生存権**というような権利は観念されていませんが、近未来において、仮にＡＩに人格的な権利が認められた場合には、その利活用の在り方のみならず、そのアップデートやシャットダウンに関し、新たな問題が生じることになるでしょう。とはいえ、その問題の一部は別の形をとってすでに前述の問題群にも含まれています。

たとえば前述のデッカード警部は、レイチェル嬢と不倫関係になりますが、レイチェル嬢が人間に擬態したアンドロイドであることを知り、デッカード警部は強い精神的衝撃を受けることとなります。これは、ＡＩの生存権というような問題とともに、ＡＩが人間そのものであるかのように振る舞うという点で、現代におけるディープフェイクの問題の究極の形態であるともいえます。

AI倫理のスタート地点

このような問題を考える上での**AI倫理**の基礎すなわち出発点をどこに置くべきかについては、おおむね国際的な合意が形成されつつあります。それは人間の尊厳や平等、自由などのいわゆる「**自然権**」、つまり人間が生まれながらにして持っている権利です。AIが社会に受け入れられていく上では、これらの権利が引き続き守られていく必要があります。

もちろん、AIが忠実にこれらの諸原理を守っていたとしても、それらの原理そのものが互いに矛盾衝突することも考えられます。たとえばアーティストらによるStability.AI社に対する集団訴訟の事例は、「著作物の公正な利用による文化の発展」と、「著作者の創作活動の保護」という対立するふたつの理念が衝突している事例です。一方を重視すれば、他方はその分だけ譲歩しなければなりません。

このようなトレードオフが生じたときは、やむを得ない場合は、裁判所において司法権の下で判断されることとなりますが、まずは民主主義的な手続きの中で、利害関係者と専門家の関与の下に公共的な議論がなされることが大切です。

AI倫理のキーワード

AI倫理のキーワードとなる概念としては、次ページの表のようなものが挙げられます。

これらはどの国のAI原則においても、各国の置かれた政治状況によりニュアンスや表現の仕方に違いはあっても、共通してみられる概念です。これらは、おおむね自然権をAIとの関わりにおいて再構成したものであり、グーグルやマイクロソフトなどの民間企業による自主ガイドラインから端を発し、政府発行のAI原則（**EUの「信頼性ガイドライン」**など）に集約され、さらに2019年5

人間中心	平等	安全	アカウンタビリティ
・個の尊厳 ・人間の自立性 ・人間の監督	・公平性 ・包摂性 ・非差別	・堅牢性 ・統制性 ・安全性	・答責性 ・説明可能性 ・透明性

月のOECD（経済協力開発機構）におけるAI原則へと結実していきました。

このような経緯から、現在の関心は、国際的に共通の倫理的なフレームワークの構築から、こうした倫理をどのようにして社会に実装するかというガバナンスの領域に移されつつあります。これが冒頭で触れたAI規制に関するガバナンス・イノベーションにつながっていきます。

AIがもたらす危機

AIがもたらす絶滅のリスクを抑制することは、パンデミックや核戦争をはじめとする社会的な規模のリスクと並んで、世界的優先事項であるべきだ

――AIのリスクに関する声明

2023年5月30日、ChatGPTを開発したOpenAI社のサム・アルトマンCEOやDeepMind社のデミス・ハサビスCEOをはじめとするAI企業のトップやAI研究に従事する学術研究者が署名した声明文において、AIシステムが核戦争などと並び人類の存続に関わる重大なリスクであると考えられるべきであることが表明されました。

同声明は、そのプレスリリースにおいて、「COVID―19以前、パンデミックは世間の注目を集めてはいなかった。AIリスクに油断しないよう、ガードレールを敷き、制度を整備するのに早すぎるということはない」として、ＡＩシステムに関する立法措置を急ぐよう促しています。

ＡＩが雇用に与える影響

ＡＩが社会不安をもたらす原因のひとつとしては、ＡＩによる**雇用喪失のリスク**が挙げられます。そのような動きは現実のものとなりつつあり、たとえば２０２３年５月には、ＩＢＭのアービンド・クリシュナＣＥＯが、同社のバックオフィスを中心とする業務の30％をＡＩによって代替する方針を表明しています。

また世界経済フォーラム（ＷＥＦ）は２０２３年５月の報告書において、ＡＩによる雇用喪失のリスクに関し、世界的な景気後退の影響も加味した上で今後５年の間に８３００万の雇用喪失と６９００万の雇用創出が行われ、結果として１４００万の雇用が失われると予測しています。

ＡＩが雇用に与える影響は決してネガティブなものばかりではなく、煩瑣(はんさ)で定型的な事務作業が自動化され、労働生産性が向上するとともに、より付加価値の高い創造的な業務に専念できるというメリットもあり、またＡＩエンジニアやセキュリティの専門家など、直接に雇用が増加する職域もあるでしょう。しかしこの場合においても、短期的にはＡＩの社会実装に伴う産業構造の変化により、一時的な失業者の増加が生じることは避けられないものと見込まれています。

そしてＡＩによる雇用の代替リスクは、司法試験に上位合格し、さらにコーディングもこなすことができる生成ＡＩの登場により、単純な事務作業ばかりではなく、いまや法曹やエンジニアのような高度専門職といえる職域にまで及んでいます。事実、プリンストン大学の研究においては、法律サービス、証券・商品契約・投資など、高度で高給な専門職ほどＡＩによる影響を受けるとさえ予測されています。

こうした変化は、現行法との一定の緊張関係も生じさせつつあり、２０２２年6月と10月の２度、契約書審査ＡＩに関し、総務省がグレーゾーン解消制度に基づく照会において「弁護士法72条に違反する可能性がある」と回答したことは、国家資格制度とＡＩとの間での摩擦を象徴するものであるともいえます。

ONE POINT

グレーゾーン解消制度とは、産業競争力強化法に基づいて、現行法の解釈が不明確である場合に、省庁が事業者の照会に応じ、規制の適用の有無について回答を公開する制度です。法と技術のミスマッチにより、現行法下での解釈や適用にあいまいさが生じているＡＩに関する分野においても今後ますます積極的な活用が見込まれます。

ＡＩが招き入れるディストピア

雇用喪失のリスクのほか、ＡＩシステムがもたらす新たな脅威として、ＡＩが政府に利用されることによる**管理社会**の到来というリスクも無視できないものとなっています。２００８年に刊行された伊藤計劃のＳＦ小説『ハーモニー』に登場する「生府」は、その一例ともいえます。作中において政府もとい「生府」は、市民が手にするあらゆるコンテンツから好ましくない内容を個人ごとにフィルタリングして事前消去し、市民の生活の一挙手一投足を監視します。

このようにＡＩシステムが人々をマイクロマネジメントする管理的なディストピアが誕生することも、実際問題としては、技術的に可能となりつつあります。英国や米国を含む各国において、警察による法執行を目的として、街頭でのＡＩによる顔認証システムの実証実験と導入が進められつつあります。

こうした監視システムが完成した場合、たとえば群衆が密集した公共の場での無差別テロなどを有効に予防することが可能（犯人は、街中の無数の監視カメラのひとつにでも捕捉された瞬間、ただちにリアルタイムでＡＩにより特定されることとなります）となる一方で、市民はリアルタイムで司法機関に屋外での行動をトラッキングされるリスクに曝されることともなります。

そのような世界においては、市民が司法機関に一旦「目を付けられた」場合、文字通りその市民には常時政府の目が付いてまわることになるでしょう。

ＡＩの安全性

前述のようなＡＩの本来的な機能に基づくリスクのほか、ＡＩが正しく意図されたとおりに動くかどうか、ＡＩが悪意ある攻撃により不正な動作をしないかどうか、そしてＡＩが誤った用途で使用されて危害を発生させないかという観点での**ＡＩの安全性・堅牢性**に関わるリスクも存在します。

自動車の自動運転や産業用機械の自動操縦のように、その誤作動が人身事故につながりうるような危険性を有するＡＩについては、安全基準が確立されなければ安心して使用することができません。

また医療診断ＡＩや法的なアドバイスを提供する法務ＡＩのように、これまで一部の有資格者のみに許されてきた業務をＡＩが代替した場合の回答内容の誤りは、ただちに患者やクライアントの不利益に直結してしまうおそれがあります。

さらにこれらのＡＩが不正に攻撃され、第三者によって個人情報や機密情報が抜き取られたり、本来意図しない動作を行ってしまうセキュリティ上のリスクにも同様に対処される必要があります。このようなＡＩの安全性・堅牢性については、社会全体での安全基準が確立されることが求められます。

ＡＩの軍事利用

ＡＩの社会実装に伴う特殊な問題のひとつとして、ＡＩが軍事利用されることによるリスクもあります。米国においては、無人攻撃機やドローンなどＡＩの兵器利用の観点から、国防総省が２０２０年に①責任、②公平性、③トレーサビリティ、

④信頼性、⑤統制性の5原則からなる「AI倫理規範」を策定しました。国防総省は、この倫理規範にのっとって、「RAI（Responsible Artificial Intelligence：責任あるAI）戦略」を掲げ、そのAI戦略を早期に体系化しています。

このようなAI兵器の軍事利用に関しては、今後数年間のうちに、米国のようにAI兵器を持つ国と持たざる国との間で、戦争における人的な被害に非対称性が生じていくことになるでしょう。

これによってAI兵器を持つ国において戦争への世論による統制が期待しにくくなる（ベトナム戦争時の反戦運動のように、戦死した兵士の親族などが反戦を訴えるというような状況が生じにくくなる）ことから、AI兵器の導入は、国際情勢を不安定化させる要因となる可能性があります。

AI兵器を持つ国の独善を予防していく上では、より一層の国際社会による監視が求められていくでしょう。そうした意味において、国連のグテーレス事務総長が提案したように、原子力監査機関のような国際的な監査の仕組みをAIに関しても構築していくことも議論する必要があるものと思われます。

第6章

AI法の誕生

倫理から法律へ

ＡＩシステムが社会にもたらすリスクの重大さを反映し、ＥＵを旗手として、各国の政府はＡＩシステムを規制する「**ＡＩ法**」の制定作業を急速に進めつつあります。ＡＩ法の制定に向けたアプローチの方法に関しては、広く国際社会において、「**リスクベースアプローチ**」を取ることが共通認識となりつつあります。このアプローチは、ＡＩが有するリスクの大小に応じて規制の程度を段階的に変化させるという方法です。

こうした「リスクベースアプローチ」を基盤として、医療や建設、自動運転などＡＩによる誤作動が人身事故などにつながりうる「物理的リスク」と、ＡＩが有するバイアスによる差別や有害コンテンツの生成などの「社会的リスク」に分類し、「物理的リスク」についてはこれまでの標準規格などによる規制の延長により規制し、「社会的リスク」については新しい規制を導入するなどの提案もな

各国の AI 法政策のスタンス		
EU・中国型	米国型	日本・英国型
AI 法によるハードルールに基づく包括的な規制	AI の用途ごと・分野ごとの限定的ハードルールによる規制	ソフトルールによる既存の制度との整合性の形成

されています。

しかしながら、ＡＩ規制をどのようにエンフォースメントするべきかに関しては、国により考え方に隔たりも生じています。

ＥＵや中国は、ＡＩ法などの包括的な法律によりハードルールによる規制を強化する姿勢を打ち出している一方、英国や日本は、ハードルールに基づくＡＩ法のような新法の制定には消極的な姿勢を示しています。米国はいわばこれらの中間のような姿勢であり、選挙や採用、フェイクニュースなど、個別の分野ごとに限定したハードルールを導入するという方針を取っているようにみえます（ただし同時に、包括的なＡＩ法の立法準備も進められています）。

この章では、こうした各国のＡＩ法の立法状況について触れていきます。

ＥＵの「ＡＩ法」

ＥＵ域内市場委員会と自由権規約委員会は、人工知能に関する史上初のルールに関する交渉指令案を、賛成84票、反対7票、棄権12票で採択した。欧州委員会の提案に対する修正案で、欧州委員会は、ＡＩシステムが人間によって監督され、安全で、透明性が高く、追跡可能で、非差別的で、環境に優しいことを保証することを目的としている。

――2023年5月11日、欧州議会プレスリリース(17)

ＥＵは、人権保障、**個人情報保護**や環境保全などの領域において、国際的に先駆的に規制を導入し、さながら台風の目のごとくに、その後の各国の制度設計に大きな影響を及ぼしています。日本における個人情報保護法改正も、EUの**GDPR**（General Data Protection Regulation）すなわち「**EU一般データ保護規則**」への対応が大きな課題となって推進され、また電子商取引に関する「透明化法」のように、EUでの法規制を範として制度設計された法規制も少なからず存在します。

AIに対する規制においてもこうしたEUのパイオニア的な（あるいは急進的な）傾向は例外ではなく、EUは既に2021年4月21日の段階で欧州委員会提案として「人工知能に関する整合的規則の制定と既存のEU法に対する修正に関する欧州委員会提案」（以下「AI法」）を公表しています。このAI法は、EUにおける初の包括的なAI規制となり、2023年暮れにも成立している見込みです。

EUのAI法の全体像

ＡＩ法は、国際的な了解事項となった「リスクベースアプローチ」に従い、ＡＩシステムをその有するリスクレベルによって分類し、レベルごとに段階的な規制を行うという構成となっています(18)。

最高のリスクレベルである**「許容できないリスクを伴うＡＩ」**は原則禁止とする一方で、**「ハイリスクＡＩ」**に関しては、そのＡＩの仕様とＡＩの提供に一定の要件（リスクマネジメントシステムの導入、データガバナンスなど）と義務（品質管理システムの構築、適合性評価の実施など）が課せられます。

そしてその他の**「限定的リスクＡＩ」**については、一定事項の表示義務などが課せられるという仕組みとなっています。なおＡＩ法に違反した場合は、最大で３０００万ユーロ（約40億円）か全世界売上高の６％のうちどちらか高い金額という課徴金が制裁として課されます（いつもながら、ＥＵが課す制裁金の額は天文学的な数字になる可能性があります）。

許容できないリスクを伴うＡＩ

ＡＩ法により「許容できないリスクを伴うＡＩ」として禁止されるのは、次の４類型のいずれかに当てはまるＡＩシステムです。

１）サブリミナルな手法により対象者を身体的または精神的に、無意識的に侵害し、その行動を歪めるおそれがあるＡＩ

２）身体的または精神的な障害もしくは年齢などの要因による個人の有する脆弱性を利用し、対象者の行動を歪めるおそれがあるＡＩ

３）公的機関などにより対象者の社会行動に基づいて信頼性評価などを行い、（評価の基礎となった社会行動と無関係な局面または不均衡に重大な局面に

おいて）対象者に不利益を与えるおそれがあるＡＩ

4）法執行のためにするリアルタイムでの遠隔生態認証システム

これらのＡＩシステムについては、ＡＩ法が施行された場合、ＥＵ市場での利用が違法となります。潜在意識に働きかけることで個人を恣意的に操作しようとするＡＩや、高齢者などの判断力の不十分な者に詐欺的な取引を行わせるＡＩは、当然ながら違法というわけです。

これに加えて、公的機関がＡＩを用いて市民生活を監視・評価することや、リアルタイムで顔認証を行って法執行を行うことが禁止されます。ＥＵは、テロの防止という司法目的とＡＩによる管理的ディストピアの到来の危険のふたつを秤にかけ、これを管理的ディストピアの予防に傾かせたことになります。

ハイリスクAI

ＡＩ法において、禁止ＡＩに準じて厳格な規制が施されることとなる「ハイリスクＡＩ」とされるのは、

1）医療機器、機械、おもちゃその他、特定の製品に使用されるＡＩ
2）生態認証分野において遠隔リアルタイム認証などを用途とするＡＩ
3）教育と職業訓練において試験結果の評価などを行うＡＩ
4）重要なインフラストラクチャー分野において管理上の安全装置または交通管理、水道供給などを用途とするＡＩ
5）必須の民間サービス、公共サービスにおいて、自然人のスコアリングなどを行うＡＩ
6）法のエンフォースメントにおける犯罪予測やプロファイリングを用途とする

ＡＩ

７）移住、亡命および国境管理における査証申請の審査などを用途とするＡＩ

８）司法運営と民主的プロセスにおける法適用や法解釈を支援するＡＩ

その他、特定の分野（8分野）における特定の用途（21用途）に用いられるＡＩです。これらのハイリスクＡＩに該当する場合は、ＡＩ法に定める要件にＡＩシステムが適合していることを証明し、ＥＵ適合宣言書を発行の上、**CEマーク**を付さなければなりません。

※ＣＥマークとは、「機械指令」や「RoHS指令」など、ＥＵが定める安全性能基準を満たした製品が表示することができるマークです。

適合性評価は、ＥＵにおける製品の安全性に関する統一規格である**EN規格**（日本でいうところのＪＩＳ規格に相当）に適合する場合は、その適合が推定され、自社による適合性評価を行うことが認められます。一方でＥＮ規格を適用できない場合は、第三者による適合性評価を受ける必要があります。

限定的リスクAI

最後に、ＡＩ法によるゆるやかな規制の対象となる「限定的リスクＡＩ」とされるのは、次の３類型のＡＩシステムです。

1）チャットボットなど、人間と対話することを目的とするＡＩ
2）感情認識システムまたは生態認証システム
3）実在する人物や場所、出来事などに著しく類似するコンテンツを生成するディープフェイク生成ＡＩ

限定的リスクＡＩは、実在の人物や出来事であるかのようなコンテンツの生成や、感情を認識するという人間の認知を模倣するという特徴を有しています。これらのＡＩについては、そのＡＩの対象者が、それらがＡＩによるものであることなどを知りうるような措置を取らなければならないこととされます。

ＥＵのＡＩ法は、前述のようにＡＩの利用に関するＥＵ初の包括的な規則であり、２０２３年後半にも成立が見込まれています。人類史上初となる「ＡＩ法」が成立し、施行された場合、ＥＵ域内でのＡＩサービスの提供に同法の適用があるほか（もちろんこれには高額な課徴金というＥＵの「伝家の宝刀」が伴います）、日本をはじめ諸外国においても、もはやＡＩシステムと既存の法体系との緊張関係を放任することは許されず、「ＡＩと倫理」、「ＡＩと人間の権利」、「ＡＩの在り方」についての決断を迫られることとなるでしょう。

中国の「AI法」

技術革新と普及が急速に進む生成ＡＩの領域において、中国は重要な位置を占めています。ひとつには、特に２０２１年までの過去20年間における38万件を超えるＡＩ関連技術の特許申請をはじめとして、中国がＡＩ市場に対する投資の急速な拡大により存在感を強めてきており、今後数年間で米国に次ぐキープレイヤーとなるであろうことが背景にあります。

実際、OpenAI社によるChatGPTの公開に追随する形で、バイドゥ社の**ERNIE Bot**、アリババ社の**Tongyi Qianwen**（通義千問）などの中国製生成ＡＩが公開されるなど、欧米企業が生成ＡＩ分野で国際社会と中国国内への進出を強めることに対抗していこうという姿勢がうかがえます。

このような市場競争上の地位に加え、中国がＡＩ法に関し国際的に重要であるもうひとつの要因として、中国がＡＩの商業的使用に関する政府規制について、

ＥＵと並び、公的機関におけるそのガバナンス・イノベーション分野のパイオニアとして、立法による包括的な基盤整備を他国に先んじて進めているということが挙げられます。

２０２３年４月、インターネット政策を管掌する前述の国家インターネット情報局すなわちＣＡＣは、「**生成ＡＩ管理法**」の草案を公開しました[19]。同年８月には早くも施行される予定となっています。同法は、生成ＡＩが、「分離独立を扇動し、民族の団結を損なう」おそれがあるコンテンツや「わいせつ、ポルノ、虚偽、または社会経済秩序を混乱させる」おそれがあるコンテンツを生成することを禁じています。

また知的財産権を侵害するコンテンツの生成を禁止しているほか、差別的な内容や事実に基づかない内容を生成ＡＩが生成することがないように、事業者は必要な措置を講じなければならないとしています。なお事業者は、当局に申請して、サービス提供前にあらかじめ安全評価を受ける義務も負います。

AI法の立法

中国の国務院は、2023年度の「立法作業計画」において、AIに関する包括的な法案である「**人工知能法**」の立法を他の50あまりの立法計画とともに、その計画に盛り込みました。これにより、中国においては、前述の「生成AI管理法」や「ディープフェイクに関する「深層学習管理規定」などに引き続き、AI全般に関して規制の対象とする法案が早期のうちに成立する見込みとなっています。

中国におけるAI規制の特色としては、AIによるバイアスを含む情報の生成やフェイクニュースなどの虚偽情報の拡散を予防することに主たる力点が置かれるとともに、事業者による利用者の身元確認や当局による事業者の監督など、人的なガバナンスを政府主導で強化していることが挙げられます。こうした特色は、

ＡＩ法においても引き継がれていくこととなるでしょう。

米国の「AI法」

米国の連邦政府は、ＥＵ、中国に比べると相対的に後追いとなっていますが、大統領府主導のもとに「ＡＩ法」の立法の準備が進められています。

米国科学技術政策局（ＯＳＴＰ）は、いわゆる大統領科学顧問として、大統領府内に設置された事務局です。同事務局は、科学技術に関し大統領を補佐することとされており、２０２２年10月に「**AI権利章典のためのブループリント**」を提言しました[20]。この提言でＯＳＴＰは、採用管理や信用評価に使用されるアルゴリズムが有害なバイアスや差別を生じたり、ＳＮＳにおけるデータの収集がプライバシーを侵害するなど、科学技術の使用が市民生活に与えるネガティブな影響を指摘しつつ、医師が病気を特定したり、農家が作物を育成したりすることを支援するなど、その利益も計り知れないものがあるとして、これらの利益が市民の権利の犠牲の上に成り立つものであってはならないと主張しています。

その上でこうした利益とリスクをバランスさせるため、AIの開発、利用、導入に関し、①安全で効果的なシステム、②アルゴリズムによる差別に対する保護、③データプライバシー、④通知と説明、⑤人間による代替案の提供、評価とフィードバックという5つの原則（Principles）を打ち出しています。

英国のAI規制

一方で、AIを取り締まるハードルールの導入に対し、明確に消極的な姿勢を示す国もあります。AI研究開発において世界3位につけて「AI super-power（AI大国）」を自任する英国もまた、そうした国のひとつです。英国は、AI法の制定を急ぐEUを横目に、**「プロイノベイティブAI白書**[21]**」**において「法制化を急いだ場合、企業に不必要な負担を強いることになる」として、ＡＩ規制に関し、「新法の制定をするつもりはない」としています。

その上でＡＩシステムに関する既存の規制が複雑で分野横断的であり、そのためにどのＡＩシステムにどの規制が適用されるのか、適用される場合にどのＡＩシステムに対してどの法規をどのように解釈して適用すればよいのか、というような点が不明確な状況も生じていると指摘しています。

こうした法規制の不明確さは、ＡＩの活用を自由に行うことができるように見えて、実のところＡＩシステムの開発や利用に対する委縮効果や事務的なコストの増大を招き、かえってイノベーションを阻害してしまうおそれがあります。そこで英国は、各省庁がそれぞれの分野についてガイドラインやフレームワークを発行し、ソフトローを整備することにより、ＡＩシステムと法規制の関係を明確にすることで、このような弊害を除去していくべきであるとしています。

各国のAI規制の動向

これまで見てきたように、ＥＵと中国はＡＩ法の制定において先陣を切り、米国がこれに続く一方で、英国はこうしたＡＩ法の導入の潮流とは袂を分かつ構えを見せています。

そうした大きな括りの中でも、ＥＵはＡＩシステムに対する個人の権利行使の保証を重視する一方で、中国は事業者によるガバナンス体制の確保と利用者に対する身元確認義務の導入や当局の監督権限の補強など、ＡＩシステムに対する人的・組織的な統制性を重視しているといえます。

ＥＵはボトムアップの規制、中国はトップダウンの規制と、政策目的や動機には違いはあれども、奇しくもＡＩ法の立法という点において急進的な立場をとり、その分野の先駆者となりつつあります。

また米国は、ＥＵや中国のような一網打尽の包括的な制度形成には遅れをとりつつも、ディープフェイクによる選挙妨害やポルノグラフィの生成、そして次章で見るデータ保護の領域のように、限定的な分野での罰則を伴うハードルールの導入には積極的な姿勢を見せています。これは、政府の役割を限定する「小さな政府」を良しとし、あくまで個人の自由を重視する米国の政治において、AIがもたらす個人間の自由の衝突への対策という切り口からAI規制に踏み出したことによるものと見えます。

このようにAI法は、そのカバーするべき領域の広大さと根深さにより、各国の基本的な政治的立場を表出させる試金石のような存在となっているとも言えます。

日本の法規制とこれから

日本は、前述のEUを旗手とするAI法の法整備においては、元来消極的な態度を取ってきました。それよりはむしろ、英国と同様にガイドラインの策定をはじめとするソフトローによる規制を重視してきたと言えるでしょう。

実際、2021年7月に公開された経済産業省の「我が国のAIガバナンスの在り方」と題する報告書[22]においても、「産業界の意見や『AI利活用ハンドブック』によるリテラシー向上の方向性を踏まえると、AIシステムに対する横断的な義務規定は現段階では不要であると考えられる」としていました。

また「Society5.0における新たなガバナンスモデル検討会」による2020年7月の報告書においても、「**ゴールベースアプローチ**」という方法論が提唱され、AIシステムを個々の規制により取り締まるのではなく、AIシステムにより実現されるべき価値（ゴール）を示すことにより、イノベーションを阻害しない形で、技術革新による変化が激しいAIシステムに対する柔軟な規制を行うことができるとしています。

しかし一方でこのようなアプローチにおいては、AI法のようなハードルールによる直接的な規制に比べて、法規の適用にあたり行政の裁量が大きくなり、事業者によるリスクの予測可能性が損なわれるおそれもあります。こうした予測可能性を向上させるための、いわばハードルールの制定に代わる代償措置として、英国と同様、各省庁によるガイドラインの制定が進められています。

ONE POINT

AIシステムの開発と利活用にあたっては、その分野にもよりますが、場合によっては多岐にわたる法規の検討が必要となります。たとえば医療用の診断AIをクラウドサービスで提供しようとした場合、医師法、医療法、薬機法をはじめとする医療行為に関する法規制のほか、景品表示法や不正競争防止法、個人情報保護法、電気通信事業法などの事業活動に関する法など、多岐にわたる法規制について検討しておく必要があります。したがってAIによるサービス提供が従来法においてどのように位置付けられるのか明確でなければ、事業者の予測可能性が損なわれます。

このようなガイドラインの骨子となるものとして2019年3月に「**人間中心のAI社会原則**」が策定されています。このガイドラインは、「AI-Readyな社会」の実現のために必要な基本原則として、次の3つを提言しています。

1）人間の尊厳が尊重される社会（Dignity）
2）多様な背景を持つ人々が多様な幸せを追求できる社会（Diversity & Inclusion）
3）持続性ある社会（Sustainability）

そして「AI-Readyな社会」の役割を「**Society5.0**」の実現のための土台と位置付けた上で、「人」、「社会システム」、「産業構造」、「イノベーションシステテム」、「ガバナンス」という5つの観点から、ＡＩの利用目的や適切な利用について検討していくべきであるとしています。

ONE POINT

Society5.0とは、政府と経団連が提唱する未来社会を表すコンセプトであり、サイバー空間（仮想空間）とフィジカル空間（現実空間）を高度に融合させたシステムにより、経済発展と社会的課題の解決を両立する、人間中心の社会（Society）のことを指します。

前述の「人間中心のＡＩ社会原則」を踏まえ、同年8月にＡＩシステムの利用に関するガイドラインとして、「**AI利活用ガイドライン**」[23]も策定されています。このガイドラインは、消費者庁がＡＩの利用者となる消費者やビジネスユーザーの立場で指針とするべき事項をまとめたもので、ＡＩシステムの利活用に関して、次の10原則を掲げています。

1）適正利用の原則
2）適正学習の原則
3）連携の原則
4）安全の原則
5）セキュリティの原則
6）プライバシーの原則
7）尊厳・自律の原則
8）公平性の原則
9）透明性の原則
10）アカウンタビリティの原則

その上で、ＡＩサービスプロバイダおよびビジネス利用者は、ＡＩの判断が直接に消費者的な利用者や第三者に対して影響を及ぼす態様によりＡＩを利活用する場合においては、①ＡＩを利用している旨（具体的な機能・技術を特定できるのであれば、その名称と内容など）、②利活用の範囲および方法、③利活用に伴うリスク、④相談窓口を利用方針として策定するとともに、ユーザーの求めに応じてこれを通知することが望ましいとしています。

日本のＡＩ法はどうあるべきか

このように日本はソフトローによる規制を重視してきましたが、２０２３年に入って、その方針にも変化が見られるようになってきています。２０２３年７月４日の読売新聞によれば、政府はＥＵのＡＩ法が基礎としたリスクベースアプローチに基づき、生成ＡＩの監査・認証制度の概要案を取りまとめたとされており、日本もまた将来的にハードルールによる規制に舵を切る可能性があります。他国におけるハードルールの形成が先行してしまうと、明確な拠り所を持たない国内の事業者は、結局のところこうした他国の規制に追従せざるをえないことにもなりかねないというリスクがあります。これはつまるところ、その国ごとの価値観や法慣習による独自の考慮を主張することを抑圧してしまいます。

とりわけ日本は、良きにつけ悪しきにつけその法制度や法慣習はかねてより「ガラパゴス化」していると言われており、このような主張をしなければならない必要は大きいでしょう。

その国の明確なハードルールがあるということは、現実の被害者の救済につながるばかりではなく、ビジネスサイドにとっても、それを守らなければならないという負担であるだけではなく、他国の規制に対抗する拠り所となり、（少なくとも国内では）それさえ守っていればよいという盾にもなります。

したがって国際的な了解事項となったリスクベースアプローチを基礎としつつ、日本独自のＡＩ法の立法が進められることは大きな意義があるでしょう。司法機関による捜査目的でのＡＩの利用をはじめとして、人権侵害のリスクがある活用に対しては、日本でも厳格な規制が必要となるでしょう。遺伝子捜査など最先端の技術を活用した捜査活動は犯人検挙に役立ちますが、一方で不完全な技術に依拠した誤った証拠認定が、取り返しのつかない冤罪も発生させてきました。

たとえば指紋照合のような伝統的な科学捜査手法ですら、指紋の万人不同性（同じ指紋が二つとないこと）と終生不変性（一生指紋が変わらないこと）には、科学的な裏付けが十分でないという指摘もあります。ＡＩシステムが犯罪の捜査や鎮圧に使用されることはよいとしても、それがさらに刑事裁判における証拠認定にまで使用された場合には、ＡＩの有する潜在的なバイアスや誤認が、予期せぬ冤罪を招いてしまうおそれがあります。

とりわけ日本は地下鉄をはじめ公共の場で人間が密集する機会が多いことから、

顔認証システムを犯罪予防に活用する必要性は、諸外国以上に大きいでしょう。一方で、ＡＩシステムによる証拠だけで有罪としないというような証拠準則の形成も同時に進めなければならないと思われます。

医療・建設など安全面が重要な分野でのＡＩに対しては、ＥＵにおけるような標準規格の導入という施策が有効となると思われます。この場合も、ＡＩの開発者の責任とＡＩのビジネスユーザーの責任について、それぞれ開発者による安全で検証可能な仕様の確保と、ビジネスユーザーにおける人間による監督体制の確保という責任を明確にし、責任があいまいな場合は連帯責任とするなど、被害の発生予防と被害者の救済が第一に念頭に置かれることが必要でしょう。

ただしスタートアップにおけるＡＩの開発や利活用を阻害しないように、中小企業に対する一定の例外措置や、その場合の認証マークの付与や補助金による誘導をはじめとして、日本が伝統的に得意としたソフトな行政手法も同時に活用していくことが望ましいといえます。

また医療や法務など、国家資格制度が形成されている分野においては、現段階のＡＩがいまだハルシネーション（知ったかぶり）のような課題を抱えている以上、ＡＩの利活用を無制限に認めるのではなく、ＡＩサービスに対する専門家の関与が引き続き担保されていく必要があるものと思われます。

さらに日本は、生成ＡＩの活用において、他国と比較しても非常に盛んであることが知られています。とりわけＨＲテックのようなバックオフィス業務や、カスタマーサポートのようなフロント業務での自動化への生成ＡＩの活用が見込まれています。ＡＩ生成物へのラベリングや意思決定支援にＡＩを導入する場合の監査・認証制度など、実務の実装フローをできる限り阻害しない形での制度形成が必要となります。それに加えて、ＡＩ生成物の判別技術など、技術的な対抗手段の開発も政府の支援の下に進めていくことが重要です。

消費者や一般ユーザーの立場としては、ＡＩ法が制定されることで個別の被害の救済が現行法下に比較して充実することが期待できます。現行法のあいまいな状況下では、被害者の救済に弁護士をはじめとする専門家のバックアップが不可欠となってしまうでしょうが、法律で明確な要件が定められることで、消費者保護につながります。いずれにしても、諸外国にこの分野で遅れを取ることは、国際的な既成事実の積み重ねの前に、どんどん日本が取り得る選択肢を狭めていってしまう恐れがあります。

AI時代のこれから

2023年6月に公開されたディズニーの大人気レーベルであるマーベル映画の新作『シークレット・インベージョン』においては、宇宙人が人間に擬態して密かに侵略しつつあるというプロットを象徴するものとして、その映像表現に画像生成AIであるMidjourneyが起用されました。

その衝撃的な演出手法は、映画製作への生成AIの使用に対する反対運動の渦中に置かれたハリウッドにおいて、大きなセンセーションを醸しました。フィリップ・K・ディックの短編小説『吊されたよそ者』での不穏で密かな異星人の侵略を思わせるこうしたシナリオは、AIがもたらすその大きな可能性にもかかわらず、AI時代の未来を必ずしも約束された祝福と楽観的に座視することを許さないものがあります。

冒頭で触れたように、AIは「あたかも」人間のように振る舞うにもかかわらず、人間とは根本的に異質な存在です。それは『吊されたよそ者』において、人間に擬態した異星人が人間社会に素知らぬ顔で溶け込んでいる様に似ているとも言えます。そして隠れた異星人が友好的であることに期待するのは、儚い希望的観測でしかありません。

フィリップ・K・ディックは、自身のエッセイで、AI（彼の言葉を用いれば、アンドロイド）は、人間的な思いやりを持つことがない冷酷で無機質な存在である、としています。

同時代のSFの大家アイザック・アシモフもまた、ロボットを合理的だがそれゆえに個人の尊厳のような人間的な価値観が欠落した存在として描き出していま す(もっとも『鋼鉄都市』においては、人間の刑事ライジの相棒となったロボット刑事のR・ダニールは、物語の最後にはライジに対してキリスト教的な思いやりの思想への理解の萌芽を示すに至ります)。

こうした見方はありふれたものですが、同時にAIが人間の知的生産活動をいかに巧妙にエミテーション(模倣)するようになったとしても、人間がこのようなAIを過信することは、少数者をはじめとして社会的に不利な立場の人々に対する横暴や差別につながりかねないということを警告してくれてもいます。AIは大きな可能性を秘めているとともに、その可能性が悪用されないようにする必要もあります。

ＡＩシステムが私たちの世界にその無尽蔵の根を拒み難い力をもって広げつつあるいま、その社会の行く末は、私たちがＡＩをどのように活用するか、そしてＡＩに対して、法と社会がどのように対峙していくかにかかっています。

第7章

AI vs プライバシー

AI vs データ保護

前章のような包括的なＡＩ法の制定に先行する形で、各国でＡＩ規制が進む分野として、個人情報などの取り扱いに関するＡＩ規制が挙げられます。本書の締めくくりに、私たち一人一人に関わりのあるプライバシーとＡＩを巡る問題を見ていきます。これらは日本が包括的なＡＩ法の立法についてどのようなスタンスをとるかに関わりなく、筆者として、日本においても個別の立法対応が必要なのではないかと考えています。

この分野ではとりわけ、ＡＩが悪用された場合や不注意な使用が行われた場合に、個人情報の漏洩、差別、個の尊厳の侵害など、犯罪行為や良識に反する行為を容易に、または人間側が意図せず実行してしまう可能性があるためです。

そこでこのデータ保護に関する規制のモデルケースとして、Cookie 規制と自動的意思決定に関する規制についての国際的な潮流を見ていきます。

Cookie規制

「あなたはこのウェブサイトのCookieを許可しますか？」

インターネットでブラウジングしていると、このようなポップアップに出会ったことも二度や三度ではないでしょう。

「**Cookie**（クッキー）」とは、ウェブサイトにおけるユーザーの識別情報やカスタマイズ設定などをブラウザに保管しておき、再度そのウェブサイトにユーザーがアクセスした場合にそれらを読み取る技術のことを指します。これによってログインプロセスが簡素化されるとともに、ユーザーごとのカスタマイズ設定を引き継ぐことができます。

またCookieを利用してユーザーごとの閲覧履歴を保管し、これをAIによって分析させることで、ウェブサイトの表示内容を最適化することも可能となります。ECサイトでのレコメンド、SNSなどに表示されるターゲティング広告などがこうしたCookieとＡＩによるユーザー情報の分析技術を使用しています。

Cookieはこのように便利な技術ではありますが、Cookieが保存する情報に個人情報が含まれる場合に、これらの情報をウェブサイトがユーザーに無断で収集し、トラッキングすることは、個人情報の漏洩や不正利用のリスクがあるほか、本人の同意が得られていない場合があることから、個人情報保護の観点から問題があるとされています。このような状況を受け、ＥＵにおいて通称「クッキー法」とも言われるe-Privacy規則による規制が施され、日本もこれに追随しています。

ＥＵにおいては、ＧＤＰＲおよびe-privacy規則に基づき、Cookieについて、一定の規制が施されています。すなわちCookieを使用してユーザーの端末に情報を保存したり、これらの情報にアクセスしたりする場合には、それらがウェブサイト上のサービス提供のため必要不可欠な場合を除き、原則として、あらかじめユーザーからその旨の同意を得なければなりません。

ONE POINT

GDPRは、2018年5月25日に施行されたEU域内における個人情報の取り扱いに関する規則です。EU域内の個人情報をEU域外に越境移転する限りにおいて、日本など他国に所在する事業者にも域外適用されます。これに対しe-privacy規則は、通信の秘密についてGDPRを補完する規則です。

日本のCookie規制

前述のEUにおけるCookie規制を受け、日本においても**電気通信事業法**が改正され、2023年6月から施行されています。ウェブサイトがCookieなどにより収集した利用者の情報を第三者に送信しようとする場合には、①送信する情報の内容と、②送信先に関する情報を、開示または通知することが義務付けられました。なおこうした情報開示からさらに進んで、事業者が選択した場合には、送信行為についてユーザーの事前同意を得る（オプトイン）か、またはユーザーが事後的に送信行為を停止させることができる（オプトアウト）権利を付与できるとされています。

e-privacy規則においてはオプトインしか認められていないことに比べると、義務的な負担としては情報開示に留まるという点で、ユーザー保護という観点からは懸念が残る改正内容であるといえます。またe-privacy規則が第三者への送信情報のみならずユーザーの端末に保存した情報にアクセスする行為自体を規制するものであることからも、日本の電気通信事業法の規制内容はゆるやかなものとなっています。

もし送信される情報に個人情報が含まれる場合は、個人情報保護法に基づいて本人の事前同意が原則として必要となることを踏まえると、Cookie規制についても、同様に事前同意を原則として要求することも考えられます。この点に関しては、そもそもEUや米国と日本では個人情報の定義が異なり、EUにおいて個人情報となるような情報（ログインIDなど）も、日本法下では「個人関連情報」としてそれ自体は個人情報ではないと整理されていることも影響しているように思われます。

事業者の法的義務を加重することは結果的にユーザーの利便性にも影響することから、いずれの考え方にも一長一短がありますが、AIの普及により個人情報の照合が容易になっていることを踏まえると、EUのように事前同意を原則とする統一的な規制に舵を切ることが日本にとっても望ましいように思われます。

またCookie規制に関連して、Cookieをはじめとするトラッキング技術により収集した情報に基づくランキング表示についても、各国で規制のフレームワークが構築されつつあります。EUや中国の規則において、ランキング表示に使用しているアルゴリズムの主要な考慮事項を開示することが義務化されています。また高齢者や子どもをはじめ判断力が不十分な消費者に対し、ＡＩを用いて詐欺的な取引に誘導する行為も禁止の対象とされています。

こうした動きを受けて、日本においても２０２０年６月に「**透明化法**」と通称される法律が導入されました。年商５０００億円を超え、かつ経済産業省から指定された特定の事業者については、ＥＵや中国と同等の規制が課せられます。

自動的意思決定

自動的意思決定とは、プロファイリング（特定の個人や集団の行動パターンや傾向から、将来の行動パターンや傾向を予測する手法）などの技術を活用した分析に基づいて、ＡＩが人間の意思決定を代行することをいいます。ニューヨーク市における雇用に関する自動的意思決定（**AEDTs**）を規制する法令は、次のように自動的意思決定を定義しています。

> 機械学習、統計モデリング、データ分析、または人工知能を利用し、個人に影響を与える雇用決定について、裁量による意思決定を実質的に支援または代替する、スコアや分類などの簡略化された出力を発行する計算プロセス。

ＡＩによる自動的意思決定は一見、人間による主観的な要素が入り込む余地がなく、恣意的な判断や担当者ごとの評価のブレがなくなり、客観的で公正な意思決定の方式のように思われます。しかし現実には、ＡＩは統計情報に基づいて構築されることから、それ自体、統計に含まれる偏りを反映したものとなってしまい、決してバイアスとは無縁ではありません。ＡＩシステムが潜在的に有するこうしたバイアスに基づいて差別的な決定がされると、その個人の尊厳を傷つけてしまうことになります。

実際に問題となった例としては、2019年8月に日本の人材紹介会社が、履歴書の記載に基づいて求職者個人の「内定辞退率」を算出し、これを有償で求人企業に対して提供していたことが明らかとなり、求職者が「内定辞退率」の算出に個人情報が使用されることをあらかじめ十分に知らされていなかった可能性があったとして、こうしたサービスの提供が打ち切られたという事例があります。AIシステムが使用するデータベースが個人情報や機密情報を含む場合、これらのデータが当事者の同意を得て使用されていること、およびデータが外部に漏洩しないよう十分なセキュリティ措置を講じることが必要となります。

また別の事例として、アマゾンは、2014年以降、過去の大量の履歴書データを使用し、応募者を5段階で評価するAIシステムを開発していましたが、現職のエンジニアの多くが男性であるという性差に起因して女性の求職者をそれだけで不利に評価してしまうという欠陥が明らかとなり、こうした潜在的なバイアスの存在を全て排除することは現実的ではないとして開発を中止したと明らかにしています。

このようにＡＩはそれが一見公平無私で客観的であるかのように見えるからこそ、そこにバイアスが含まれるプロファイリングに基づく自動的意思決定には一層の危険が潜んでいると言えます。

ＥＵの自動的意思決定への規制

ＥＵのＧＤＰＲ（個人情報保護法）は、自動的意思決定のみによって対象者の重大な権利利益を左右する意思決定を行うことを禁止しています。

また自動化された意思決定により権利利益を左右されることとなる者は、「プロファイリングを実行する側の人的介入を得る権利、自分の意見を表明する権利および決定に異議を唱える権利」を有するとし、ＡＩシステムによる決定に対して対象者が異議を唱えたときは、人間の介入がなされることを保証しています。

米国の自動的意思決定への規制

米国カリフォルニア州においては、CPRAすなわち「**カリフォルニア州消費者プライバシー権利法**」が制定され、自動的意思決定に関し、消費者に対してオプトアウト（任意的脱退）の権利が付与されています。これにより消費者は、いつでも自動的意思決定の対象から離脱することができます。

またニューヨーク市でも、2023年7月に新法が制定されました。この新法は、プロファイリングと人事評価に関する問題を規制するものです。ニューヨーク市内で採用と昇進の判断について自動的判断や自動的評価（AEDTs）を行う場合には、毎年第三者機関による「バイアス監査」を受けた上、その結果を公表しなければなりません。

この新法に対しては、事業者からは監査の方法や範囲が不明確であるとの批判が寄せられた一方、人権団体は規制の不十分さを指摘しており、多数のパブリックコメントが寄せられたために一時公布を延期するなど、ニューヨーク市でも様々な反応を呼び起こしました。

中国の自動的意思決定への規制

中国では、個人情報保護に関する最初の統一的な法規制である「個人情報保護法（中华人民共和国个人信息保护法）[24]」が2021年8月に制定され、その中に自動的意思決定に対する規制が盛り込まれました。

これにより自動的意思決定を行う場合は、個人情報影響評価をあらかじめ実施した上、その取り扱いを記録し、3年間保存しなければなりません。

日本の自動的意思決定への規制とこれから

日本においては、前述の米国やEUにおけるAIシステムによる自動的意思決定からのオプトアウト（任意的脱退）の権利や、中国における影響評価の実施義務など、自動的意思決定についての規制は行われていません。

もっとも、個人情報の取り扱いに関しては本人同意を得て行わなければならないことから、本人から個人情報を取得するに際してプロファイリングに用いる旨を明記しておかない場合、現行法下においても違法となりえます。ただし事業者が提供するサービスへの申し込みに当たり、個人情報の同意事項に個別に反対することは消費者の立場では現実的ではありません。

また同意事項に明記されているからといって、アマゾンにおける開発停止事例のようにAIがバイアスを含む判断をした場合に、これに異議を申し立てる法的な権利が条文に明記されていないことは、もちろん性別による雇用差別は違法であるものの、実際の権利行使において困難をもたらすおそれがあります（少なくとも弁護士による専門的な介入を必要とするケースが多くなるでしょう）。

自動的意思決定においてはこのような現実の被害者を想定することができる上に、ＨＲテック（人事に使用する自動化ツール）の普及に伴い、こうした自動的意思決定が広く行われることが想定されることを踏まえると、日本でもオプトアウトの付与や人間による担当者の介入の保証などの立法措置が取られる必要があります。

そして立法化にあたっては、ニューヨーク市の事例も参考に、自動的意思決定の定義を明確なものとし、とりわけ自動化の程度が高いものについては、独立第三者による監査制度の導入や一定の情報開示の義務化などもあわせて義務化していくことが求められます。

おわりに

本書をお読みいただき、ありがとうございます。

本書の執筆中そして編集中にも、ＡＩを巡っては世界各地で様々なニュースが駆け巡り、原稿の内容を修正する必要が多々生じました。本書を執筆する契機となったのも、ＥＵにおけるＡＩ法の誕生をはじめとして、ＡＩと法に関するフレームワークが２０２２年を分水嶺として大きく変化していく予感でした。

日進月歩で変化する主題を扱う中で、最新の情報を提供しつつ、その中でも時事性を失ってもＡＩと法に関わる問いを考え整理する上で重要なものを取り上げるよう努めました。本書が読者の皆さまのお役に立ち、そして何より読んで楽しめるものでもあったとすれば嬉しいです。

思い返せば、ChatGPTが公開された時には、駅のエスカレーターでもその名を耳にするほど多くの人々がその登場に興奮していたように思います。いまでもその興奮冷めやらぬ中、ChatGPTの性能も強化され（公開当初はトークンの制限のために出力が途絶するため、「続けて下さい」とChatGPTにお願いしながら使用していたことを皆さんも覚えておいででしょう）、図表の出力やウェブブラウジングのような拡張機能も搭載されました。自作チャットボットとの他愛のない雑談で戯れていた数年前と比較すると、これには隔世の感すらあります。

また画像生成ＡＩは、脳裏に浮かぶぼんやりとしたイメージをテキストを介して目で見ることができるイメージに変換してくれます。指が崩壊したり、背景の人型が潰れたり、輪郭があいまいだったりと、それ自体はまだまだ不完全な部分もありますが、これもまたChatGPTと同様、創作活動のサポートやブレインストーミングには非常に適したツールとなるでしょう。

さらに「chichi-pui（ちちぷい）」のようなコミュニティサービスの形成などを通して、その使用方法に対する知見も蓄積していくものと思われます。

本書でもたびたび触れたように、このような新技術の普及時には、必ず法と技術のミスマッチが発生します。とりわけ機械学習へのコンテンツ利用に関する著作権法30条の4を巡っては、改正前の審議において現在のような生成AIに関する論点も十分に議論されていたとする意見と、それ自体コンテンツを生成しうるような生成AIの普及という状況は改正当時十分に検討されてこなかったという意見の双方があります。

実際、改正時の審議会の議事録には生成AIについて検討された旨が記録されているようですが、それが現実に改正内容にどれくらい影響したかは様々な見方がなされています。米国で数多の集団訴訟の対象となっているAI生成物に関するグレーゾーンを（少なくとも部分的には）解消し、いずれにしても生成AIを活用する上での予測可能性を高めることに成功したという点では、評価できる改正であったとは思われます。

しかしながら本書で触れたように、そうした解釈上の疑義は改正法下でも完全に払しょくされているわけではなく、ＡＩ生成物の保護という観点でも、クリエイターに対するオプトアウトの法的権利の付与などの観点でも、まだまだ現行制度には大きな懸念が残されています。

二次創作をはじめとして、日本におけるコンテンツ文化は、権利者と利用者との共棲によって柔軟な発展を遂げてきました。生成ＡＩに関しても、諸外国における規制（たとえばＡＩ生成物へのラベリングなど）を取り入れつつ、行政と司法の恣意を抑止し、そうした共棲関係を発展させていくことが大切となるでしょう。

またこうした問題とは別に、雇用の問題も大きな課題として残されています。「ＡＩ vs 倫理」の章で簡単に言及したように、ＡＩの登場は雇用に大きな変動をもたらしていくでしょう。そして筆者の生業である行政書士が従事するような書類上の法的業務もまた、多くの予測において、今後ＡＩにその少なからぬ部分が代替されるものと予測されています。そのような意味においては、ＡＩにできることそしてとりわけ「できないこと」を見出し、そこで付加価値を生み出すことができるように業務を転換していくことを迫られていくでしょう。

かつてギリシャでは奴隷労働制の下で、ポリス市民すなわち貴族たちは、飽食と余暇に明け暮れ、その中で暇を持て余したソクラテスやアリストテレスのような哲学者が登場し、その後の自然科学と人文科学の基礎を作り上げました。ＡＩが定型業務を代替していく中で、仕事の性質もまた変わっていくのかもしれません。

そうした傾向は確実となるでしょうが、それにもかかわらず実務的には、なお個人情報の管理の問題、秘密情報の守秘義務の問題、セキュリティの問題そして知的財産の問題など、克服していかなければいけない法的な障壁はいくつもあります。それゆえに一部の進取の企業を除き、雇用の変化は比較的ゆっくりとした速度で進むでしょう。しかしその変化そのものは避けては通れない以上、いまから準備をしていくに越したことはありません。

本書がそうしたＡＩ時代に向けたテイクオフへの滑走路として役立てば嬉しく思います。

メル行政書士事務所代表
佐藤　洸一

注釈

(1) "Stability AI Announces $101 Million in Funding for Open-Source Artificial Intelligence". CISION PR Newswire. 2022/10/17.
https://www.prnewswire.com/news-releases/stability-ai-announces-101-million-in-funding-for-open-source-artificial-intelligence-301650932.html

(2) https://stablediffusionlitigation.com/pdf/00201/1-1-stable-diffusion-complaint.pdf

(3) REUTERS. https://www.reuters.com/legal/litigation/us-judge-finds-flaws-artists-lawsuit-against-ai-companies-2023-07-19. 2023/7/20.

(4) 2022/20/8. https://twitter.com/novelaiofficial/status/1578529189741080576

(5) "New laws to better protect victims from abuse of intimate images.". GOV.UK. 2022/11/25.
https://www.gov.uk/government/news/new-laws-to-better-protect-victims-from-abuse-ofintimate-images. (2023/4/1)

(6) 〝互联网信息服务深度合成管理规定〟 中華人民共和国中央人民政府 2022/11/25.

(7) "The 2022 Code of Practice on Disinformation". European Commission. 2022/6/16.
https://digital-strategy.ec.europa.eu/en/policies/code-practice-disinformation

(8) "Anyone can use this AI art generator — that's the risk". The Verge.
https://www.theverge.com/2022/9/15/23340673/ai-image-generation-stable-diffusionexplained-ethics-copyright-data

(9) 〝(コンピューター創作物関係) 報告書〟著作権審議会第9小委員会
https://www.kantei.go.jp/jp/singi/titeki2/tyousakai/kensho_hyoka_kikaku/2016/jisedai_tizai/dai4/siryou2.pdf

(10) 〝ＡＩと著作権の関係等について〟
https://www8.cao.go.jp/cstp/ai/ai_team/3kai/shiryo.pdf

(11) "GLAZE: Protecting Artists from Style Mimicry by Text-to-Image Models". 2022/2/8.
https://arxiv.org/abs/2302.04222

(12) 〝東京大学の学生の皆さんへ：ＡＩツールの授業における利用について (ver. 1.0)〟 2023/5/26.
https://utelecon.adm.u-tokyo.ac.jp/docs/ai-tools-in-classes-students

(13) 個人情報保護委員会
https://www.ppc.go.jp/all_faq_index/faq1-q7-53/

(14) "Lawyer Used ChatGPT In Court—And Cited Fake Cases. A Judge Is Considering Sanctions". Forbes. 2023/6/8.

(15) "Microsoft 'makes adjustments' after Tay AI Twitter account tweets racism and support for Hitler". IBM. 2016.3.24.
https://www.ibtimes.co.uk/microsoft-makes-adjustments-after-tay-ai-twitter-account-tweetsracism-support-hitler-1551445

(16) "Pause Giant AI Experiments: An Open Letter". Future of life. 2023/3/22.
https://futureoflife.org/open-letter/pause-giant-ai-experiments/

(17) "AI Act: a step closer to the first rules on Artificial Intelligence". News European Parliament.2023/5/11.
https://www.europarl.europa.eu/news/en/press-room/20230505IPR84904/ai-act-a-step-closerto-the-first-rules-on-artificial-intelligence

(18) "Proposal for a REGULATION OF THE EUROPEAN PARLIAMENT AND OF THE COUNCIL LAYING DOWN HARMONISED RULES ON ARTIFICIAL INTELLIGENCE (ARTIFICIAL INTELLIGENCE ACT) AND AMENDING CERTAIN UNION LEGISLATIVE ACTS". EUR-LEX.2021/4/21.
https://eur-lex.europa.eu/legal-content/EN/TXT/?uri=celex%3A52021PC0206

(19) 〝国家互联网信息办公室关于《生成式人工智能服务管理办法（征求意见稿）》公开征求意见的通知〟2023/4/11.

http://www.cac.gov.cn/2023-04/11/c_1682854275475410.htm

（20）"Blueprint for an AI Bill of Rights MAKING AUTOMATED SYSTEMS WORK FOR THE AMERICAN PEOPLE". U.S. WHITEHOUSE. 2022/10/4.
https://www.whitehouse.gov/ostp/ai-bill-of-rights/#human. 2023/5/18

（21）"New laws to better protect victims from abuse of intimate images.". GOV.UK. 2022/11/25.
https://www.gov.uk/government/news/new-laws-to-better-protect-victims-from-abuse-of-intimate-images. (2023/4/1)

（22）〝我が国のＡＩガバナンスの在り方〟 経済産業省
https://www.meti.go.jp/shingikai/mono_info_service/ai_shakai_jisso/pdf/20210709_1.pdf

（23）〝ＡＩ利活用ガイドライン〟 ＡＩネットワーク社会推進会議 2019/8/9.
https://www.soumu.go.jp/main_content/000809595.pdf

（24）〝中华人民共和国个人信息保护法〟 中華人民共和国中央人民政府 2021/8/20.

●著者プロフィール
佐藤 洸一（さとう・こういち）
東京都行政書士会所属。メル行政書士事務所代表。東京大学法学部第一類卒。行政書士として、国際業務及び企業法務を中心とする業務の他、生成 AI と法に関わる実務の最前線において、AI イラスト投稿掲示板「chichi-pui」をはじめとする新興 AI サービスの企業法務サポートなども手掛けている。

マイナビ新書

AI vs 法　世界で進む AI 規制と遅れる日本

2023 年 8 月 31 日　初版第 1 刷発行

著　者　佐藤洸一
発行者　角竹輝紀
発行所　株式会社マイナビ出版
〒 101-0003　東京都千代田区一ツ橋 2-6-3　一ツ橋ビル 2F
TEL 0480-38-6872（注文専用ダイヤル）
TEL 03-3556-2731（販売部）
TEL 03-3556-2735（編集部）
E-Mail pc-books@mynavi.jp（質問用）
URL https://book.mynavi.jp/

装幀　小口翔平＋嵩あかり（tobufune）
DTP　富宗治
印刷・製本　中央精版印刷株式会社

　ISBN978-4-8399-8463-2
Printed in Japan